LES GRANDES MARÉES

JACQUES POULIN

LES
GRANDES MARÉES

roman

BABEL

Un *homme seul* est un homme sans compagnie [...].
Un *seul homme*, c'est rien qu'un homme...

(Dictionnaire des difficultés de la langue française – Larousse)

1

DES SIGNES DERRIÈRE LA VITRE

Au commencement, il était seul dans l'île.

Il avait un nom de code, Teddy Bear, et il s'en servait pour communiquer avec l'hélicoptère du patron : tous les samedis, le patron lui apportait du travail et des provisions pour la semaine.

Il restait encore de la neige dans les sous-bois, mais les grandes marées d'avril avaient emporté les glaces de la grève. Parfois, des volées d'oies blanches venaient se poser sur la batture, du côté nord. Quand il voyait que les oies étaient là, le samedi matin, Teddy avertissait le patron par la radio ; il lui demandait d'atterrir à l'autre bout de l'île.

En ce premier samedi de mai, il n'y avait pas d'oies blanches. Elles étaient probablement sur les autres îles du fleuve, ou à Montmagny, ou bien au cap Tourmente. Le patron posa son hélicoptère au bord de la grève, en face de la Maison du Nord. Teddy voulut aller à sa rencontre, mais le rotor du Jet Ranger n'avait pas fini de tourner que l'homme grimpait déjà le sentier conduisant à la maison. Court de taille, pansu et chauve, il marchait à grandes enjambées, le regard fixé au sol, le visage empourpré, et il croisa son employé sans le voir. Il portait deux sacs de provisions et une mallette en cuir.

Quand Teddy l'eut rejoint sur la galerie où il avait déposé ses colis, le patron lui posa la question rituelle :

— Êtes-vous heureux dans l'île ?

— Très heureux, dit Teddy.

— Vous êtes sûr ? insista-t-il.

Teddy fit signe que oui.

Il y avait une grande sollicitude dans les yeux du patron. Il serra la main de Teddy avec vigueur, puis il ajusta ses gants. Des gants de coureur automobile : doigts coupés et trous d'aération au revers de la main. Il ne les enlevait jamais.

— Ça sent le café, dit-il.

— En voulez-vous une tasse ? demanda Teddy.

— D'accord, une tasse en vitesse.

Teddy apporta les deux sacs de provisions dans la cuisine. Il versa le café. Le patron ouvrit sa mallette.

— Le Fantôme est en pleine forme. Il a étampé une douzaine de pirates avec sa tête de mort, dit-il en sortant une grande enveloppe brune de la mallette.

Il posa l'enveloppe sur la table et but une gorgée de café. Lorsqu'il n'y avait pas de vent et que le temps était clair, il fixait les bandes dessinées sur le tableau de bord de l'hélicoptère et il les lisait durant le trajet de Montréal à l'île Madame.

Un chat gratta à la porte, puis s'agrippa à la moustiquaire et Teddy alla lui ouvrir.

— Viens-tu me voir, ma belle minoune ? dit le patron.

— C'est un matou, dit Teddy.

— Ah oui, vous me l'avez dit la dernière fois.

Matousalem fit comme si le patron n'était pas là et il se dirigea tout droit vers son plat de Puss'n Boots.

C'était un vieux chat tout blanc au poil court ; il avait un œil brun et l'autre bleu. Il était très maigre.

— Viens, mon beau minou !

— Il est sourd de naissance, dit Teddy.

Le patron dit qu'il préférait les chiens. Il avait deux afghans. Et il avait acheté un chihuahua pour sa femme. Il trouvait les chiens plus affectueux que les chats.

— Faut que je m'en aille maintenant, dit-il.

— Vous allez à Rimouski ?

— À Rimouski et à Sept-Îles. Est-ce que vous me donnez les... ?

— Bien sûr.

Teddy ouvrit le tiroir de la table. C'est là qu'il mettait les bandes dessinées dont la traduction était terminée. Il donna l'enveloppe au patron et celui-ci la rangea dans sa mallette.

— Pas de difficultés ?

— Pas trop.

Le patron but d'un trait le reste de son café.

— Tant mieux ! Ne vous rendez pas malheureux à cause de votre travail. Les gens malheureux, ça me déprime !

Il se mit à rire et lui donna une tape dans le dos.

Teddy l'accompagna jusqu'à l'hélicoptère.

— Tout seul dans l'île, il doit s'ennuyer, dit le patron en arrivant sur la grève.

— Matousalem ?

— Oui.

— Mais non, il court après les écureuils.

Le patron se hissa dans la cabine et, tenant la portière ouverte avec son pied :

— On va essayer de lui trouver une chatte, dit-il.

Il retira son pied et la portière se referma. Il fit des signes avec la main assez longuement derrière la vitre, puis Teddy comprit qu'il lui demandait de s'éloigner. Mais le Jet Ranger ne souleva pas beaucoup de sable en décollant parce que la grève était mouillée.

2

LE *TARZAN* DES PREMIÈRES ANNÉES

C'est un mois plus tôt, en avril, que Teddy avait fait la connaissance du patron. Le traducteur exerçait alors son métier au *Soleil* de Québec. Le patron, qui venait d'acheter ce journal, s'était rendu dans la vieille capitale pour rencontrer les employés.

Le bureau du traducteur se trouvait au milieu d'une vaste salle divisée en îlots de verdure par un agencement de plantes exotiques et de cloisons amovibles. Le patron vint à lui sans se faire annoncer, déplaça son *Harrap's* pour s'asseoir sur sa table de travail et il dit qu'il était un homme d'affaires et qu'il n'avait pas l'habitude d'y aller par quatre chemins.

— Il paraît que vous êtes un « socio-affectif », dit-il. Je ne sais pas exactement ce que ça veut dire, mais j'ai une question à vous poser : qu'est-ce que je peux faire pour vous rendre heureux ?

Sa voix n'était pas agressive, mais simplement empreinte d'un grand souci d'efficacité. Il mit sur la table un dossier marqué « Confidentiel » et le traducteur lui demanda où il se l'était procuré.

— Au service de psychologie, dit-il. Mais c'est pas le psychologue qui me l'a donné. Savez-vous pourquoi ?

— Non.

Parce que je l'ai mis à la porte. On s'entendait pas.

Il prit au dossier une note expliquant que le traducteur avait un caractère obsessionnel et qu'il était devenu une sorte de maniaque de la précision. Il était d'accord sur un point : on fait un travail aussi bien que possible ou on ne le fait pas du tout ; c'est ce que son père lui avait toujours dit.

— Vous n'avez pas répondu à ma question. Qu'est-ce qu'il vous faut pour être heureux ?

— Vous n'auriez pas une île déserte ? répliqua le traducteur.

— J'en ai une : l'île Madame.

Le patron n'avait pas l'air de plaisanter.

— C'est pas loin de l'île d'Orléans. Une petite île. À peu près deux kilomètres de longueur. Ça vous intéresse ?

— Pourquoi pas ?

— Justement, le gardien est vieux et malade...

Il lui fallait à tout prix un gardien : au printemps, les oies blanches, les bernaches et les canards attiraient une foule de braconniers qui ne se gênaient pas pour s'installer dans les maisons. Il y avait deux maisons sur l'île. Il y avait même un vieux court de tennis envahi par la végétation.

— C'est pas le paradis terrestre, mais c'est un endroit agréable, dit-il.

Le traducteur ne disait rien. Le patron se mit à parler des bandes dessinées. Il préférait les plus anciennes et il avait l'intention d'en reprendre plusieurs dans ses journaux. Il aimait en particulier *Le Fantôme*, *Terry et les pirates*, le *Prince Vaillant* et le *Tarzan* des premières années, quand la bande était dessinée par Hal Foster. Il se proposait d'accorder une place de plus en plus grande aux bandes dessinées.

— Savez-vous combien il y a de personnes qui lisent *Mandrake* chaque jour que le bon Dieu amène ?

— Non.

— Quatre-vingt-dix millions de personnes !

3

DES TOASTS SUR LA BRAISE

Teddy partageait son temps entre la traduction, la surveillance de l'île et diverses occupations comme l'entretien des bâtiments et la réfection du court de tennis. La priorité allait évidemment à la traduction, sa tâche principale, qu'il accomplissait suivant un plan de travail très précis.

Or, certains jours, les mots ne lui venaient pas... Il ne les attendait plus, il se préparait à dormir et c'est alors qu'ils arrivaient, comme des invités qui ont oublié l'heure ; ils le tenaient éveillé une bonne partie de la nuit.

Les mots tourbillonnaient dans sa tête.

La Lune était pleine.

Matousalem, lui, n'avait aucune envie de dormir. Il s'approcha de la porte. En s'étirant de tout son long, il saisit la poignée entre ses pattes. Il ne miaulait jamais. Le traducteur sortit avec lui et alla s'asseoir sur la grève pour regarder les bateaux. Le fleuve était inondé de lumière. Matousalem avait un grand terrain de chasse : l'île mesurait un peu plus de deux kilomètres de longueur sur un demi-kilomètre de largeur ; sa superficie totale était de deux cent soixante-six acres d'après les levés qui avaient été faits en 1915 par l'arpenteur

Georges-P. Roy. Mais il n'y avait pas tant d'espace libre, à la vérité, car l'intérieur était presque entièrement recouvert par une forêt trop dense pour qu'il fût agréable d'y pénétrer. Un seul et unique sentier allait d'un bout à l'autre de l'île en passant par le court de tennis qui se trouvait au centre.

La nuit était fraîche et Teddy décida de faire un feu sur la grève. Plus tard, il retourna à la maison pour préparer un thermos de chocolat chaud et prendre une couverture de laine. Il apporta aussi du pain et du beurre et il fit des toasts sur la braise. À la longue, les mots cessèrent de tourbillonner et il se sentit bien.

Il se mit à penser à son frère Théo. Son frère ne donnait jamais de ses nouvelles, mais il devait être quelque part dans le sud de la Californie et, à mesure que le temps se réchauffait au bord du Pacifique, il devait sûrement se préparer à remonter vers San Francisco. Il aurait ri comme un fou s'il avait vu l'espèce de zouave qui buvait du Nestlé Quick sur la grève d'une île déserte en attendant le retour du vieux Matousalem. Teddy pensait aussi à une autre personne : une fille ; elle n'existait pas dans la réalité, mais ses traits et son allure commençaient à se fixer dans sa tête.

Quand la Lune était pleine, Matousalem tardait à venir le trouver auprès du feu. Il l'attendait sans impatience. Le vieux chat avait longtemps mené une existence difficile et ses plaies étaient mal cicatrisées ; elles se rouvraient chaque fois qu'il se chamaillait avec les ratons laveurs de l'île.

4

CHER NAUFRAGÉ

Sans le faire exprès, le traducteur reprit peu à peu dans l'île l'horaire et les habitudes qui avaient été les siens pendant qu'il était à l'emploi du *Soleil*.

Debout à sept heures et quart, il se préparait un jus d'orange, un plat de gruau Quaker avec crème et cassonade et un café noir. Les textes à traduire absorbaient déjà son esprit. Il commençait à travailler vers huit heures. Il avait installé son bureau au second étage qui comptait quatre pièces réunies par un couloir où il pouvait faire les cent pas. Il ne restait pas longtemps assis ; il aimait bien marcher lorsque les mots ne venaient pas tout de suite ou ne se trouvaient pas au dictionnaire.

D'aussi loin qu'il se souvenait, il avait toujours aimé les dictionnaires et les encyclopédies. Le *Petit Robert*, le gros *Harrap's*, le *Grand Larousse*, le petit *Littré*, le gros *Webster* remplaçaient les amis qu'il n'avait pas. Le gros *Webster* recevait un traitement de faveur : à cause de son poids et de sa taille, il avait l'épine dorsale assez fragile et Teddy le mettait tout seul et grand ouvert sur une table, avec une lampe au-dessus ; c'est lui-même qui se déplaçait lorsqu'il avait besoin de lui. Le *Webster* l'avait souvent tiré d'embarras. Quand la petite Lucy, un jour, s'était approchée du monticule et avait dit à Charlie Brown : « *This is no time to be throwing a curve... A knuckle ball is the pitch... A knuckle ball will catch him flat-footed* », le traducteur avait trouvé l'expression « *to catch one flat-footed* » dans le gros *Webster* avec les explications appropriées. Malheureusement, il ne se souvenait plus s'il fallait traduire « *knuckle ball* » par « balle-jointure » ou bien par « balle-papillon » et il n'avait trouvé la solution ni dans le *Harrap's*, ni dans le gros *Webster*, ni dans le *Grand dictionnaire d'américanismes*. L'un de ses plus grands regrets était de n'avoir pas reçu la formation d'un linguiste ou d'un sémanticien ou même d'un spécialiste du mumbo jumbo.

À dix heures, c'était la pause café.

Il reprenait ensuite le travail jusqu'à onze heures et demie. Il allait flâner sur la grève avant le repas de midi. Par crainte de s'assoupir dans l'après-midi, il mangeait peu : un jus de tomate, un œuf, du fromage, des biscuits. Dès treize heures, il retournait à son bureau afin de terminer les traductions le plus tôt possible, ce qui lui permettait de faire le tour de l'île la conscience en paix.

C'était le plus beau temps de l'année. Il n'y avait pas encore de maringouins et les feuilles, qui venaient de sortir, étaient vert pâle et douces pour les yeux. Le temps se réchauffait. Il allait bientôt pouvoir se baigner dans la petite crique sablonneuse qui se trouvait à l'autre bout de l'île, près de la Maison du Sud.

La Maison du Sud n'était qu'un modeste chalet et c'est en raison de son âge qu'on lui donnait le nom de maison, car il s'agissait du plus ancien bâtiment de l'île. Le chalet avait été construit pour servir de refuge aux naufragés. Un texte à l'encre bleue, sur un carton jauni et recouvert d'un plastique transparent, était affiché sur la porte ; il se lisait comme suit :

AVIS

Cher naufragé,

Vous trouverez ici la nourriture, la chaleur et le repos qui ranimeront vos forces et votre courage. Quand vous reprendrez votre chemin, ayez la charité de laisser ce lieu dans un état pareil à celui où vous l'avez découvert, pour que d'autres voyageurs en détresse puissent y trouver, par la grâce de Dieu, un semblable réconfort.

BONNE CHANCE !

5

LE CÉRÉMONIAL

Teddy entra dans sa chambre à coucher, ferma la porte et retira tous ses vêtements.

Dans le bas du placard, il y avait plusieurs boîtes de balles Dunlop. Il choisit une boîte de balles blanches et l'ouvrit. Il fit tomber une balle dans sa main. Il en éprouva la fermeté avec son pouce, puis il en respira l'odeur âcre.

Il plaça la balle sur l'appui de la fenêtre, dans la lumière du soleil, et il se mit à la regarder. Au bout de quelques minutes, il fut capable de fermer les yeux ou de tourner la tête sans que l'image de la balle ne quittât son esprit ni même ne perdît de sa pureté. Alors il commença à revêtir son équipement.

Il mit son suspensoir athlétique, un short Wilson double tricot et deux paires de bas de laine. Il s'arrêtait, de temps en temps, pour regarder la balle dans la lumière du soleil. Il enfila son polo Fred Perry, qu'il préférait aux autres, puis il mit ses chaussures et les laça avec soin, ni trop serré ni trop lâche.

La balle blanche était encore imprégnée dans son esprit quand il fit l'inventaire de son sac de tennis. La Maxply neuve était là, protégée de l'humidité par un étui de nylon et serrée dans une presse en bois. Le sac contenait aussi une raquette usagée dans un étui, une visière, un serre-tête, des bandeaux pour les poignets, un gant, des lunettes de soleil, une boîte de sparadraps, deux paires de lacets blancs, un paquet de gomme à mâcher, un sachet de poudre d'arcanson et un livre. C'était un livre du grand William T. Tilden. Le quatrième chapitre, marqué d'un signet, commençait par ces mots :

KEEP YOUR EYE ON THE BALL

Teddy tira sa raquette neuve de son étui et de sa presse. Il fit tinter les cordes en les frappant contre la paume de sa main. Ensuite, saisissant la raquette par le col, entre le pouce et l'index de la main gauche, il mit sa main droite à plat sur les cordes, puis il déplaça lentement cette main vers le manche sans remuer les doigts et, lorsqu'il toucha la poignée de cuir, il ferma la main sur celle-ci de la même façon qu'il eût serré la main de quelqu'un.

Il se tourna carrément vers la balle blanche qui brillait au soleil.

Jambes écartées et genoux fléchis, il se pencha vers l'avant pour faire porter le poids de son corps sur la pointe des pieds. Il fit tourner sa raquette d'environ un quart de tour dans le sens des aiguilles d'une montre et il sentit sous la paume de sa main qu'il avait atteint la prise du revers et que la prise était parfaite. Alors il demeura immobile durant un long moment, sa raquette à l'horizontale et pointée un peu à gauche, et sa vie était toute concentrée dans le regard qu'il fixait sur la balle.

Subitement il se redressa. Il sauta légèrement sur la pointe des pieds, pivota du côté gauche, ramena sa raquette en arrière et, prenant appui sur le pied droit, les épaules en ligne avec la balle qu'il n'avait pas quittée des yeux, il exécuta sans plier le coude un très lent coup de revers qu'il prolongea loin devant lui en redressant les genoux.

Il eut un bref sourire.

Quelques minutes plus tard, il remit la balle blanche dans la boîte qu'il rangea au fond du placard. Il replaça la raquette dans son étui et sous presse et il la mit dans le sac de tennis. Il plaça également dans le sac une serviette et le *Petit Robert*. Il sortit du placard un autre sac qui était rempli de balles usagées ; il y en avait environ quatre-vingt-dix. Ensuite, il passa un survêtement qui était un deux-pièces en nylon de couleur vert foncé avec une rayure jaune qui allait des épaules aux chevilles.

Il sortit de la Maison du Nord, un sac dans chaque main, et il prit le sentier qui menait vers l'intérieur.

Au milieu de l'île, le Prince l'attendait.

6

UN BREF DISCOURS À MATOUSALEM

Quand il voulait parler à Matousalem, le traducteur appuyait son menton sur la tête du chat. Il avait l'impression que le vieux chat percevait des sons ou des vibrations ou quelque chose qui était communiqué par les os du crâne.

Un soir qu'il était fatigué parce qu'il avait travaillé beaucoup, et un peu triste parce qu'il avait travaillé sans succès, il s'approcha de Matousalem qui était couché sur le bord de la fenêtre donnant sur le chenal et il posa son menton sur le crâne du chat.

— Matousalem..., mon vieux Matousalem, commença-t-il. Personne n'a plus rien à dire à personne.

Et, ne trouvant rien d'autre à dire, il se tut.

Il fit chauffer du lait sur le poêle et l'apporta à Matousalem. Bien qu'il fût un très vieux chat de ruelle et qu'il eût gagné et perdu un grand nombre de combats, Matousalem avait gardé un goût immodéré pour le lait chaud. Les yeux fermés, il but le lait jusqu'à la dernière goutte, ensuite il se nettoya le museau et les moustaches avec le revers de ses pattes et il se remit à suivre des yeux les lumières des bateaux qui passaient par le chenal.

Le traducteur se rendit compte que sa fatigue n'avait pas diminué, mais que la tristesse qui s'était emparée de lui à la fin de l'après-midi s'était dissipée d'elle-même.

7

L'ÉCHELLE DE CORDE

Deux jours après la pleine Lune, le temps se gâta.

Un soir, le fleuve se couvrit d'un brouillard si épais que le traducteur ne voyait pas la grève depuis sa fenêtre ; il passa la nuit blanche parce que Matousalem se mettait à gronder chaque fois qu'il entendait le mugissement des sirènes de bateaux. Au matin, un message arriva par le téléscripteur : le patron était en route pour l'île et il n'expliquait pas la raison de cette visite. En tout cas, il ne venait pas pour les traductions puisque c'était un mercredi.

Vers onze heures, Teddy entendit le bruit de l'hélicoptère. Il sortit sur la galerie. Le Jet Ranger semblait tourner en rond au-dessus de l'île. Par une éclaircie dans la brume, il vit tout à coup s'approcher les feux clignotants de l'appareil. Le sifflement du rotor devint insupportable. Une échelle de corde se déroula, par laquelle descendit rapidement une personne qui portait des jeans et un t-shirt blanc. C'était une fille. Elle sauta sur la galerie. L'échelle fut aussitôt remontée et le traducteur vit apparaître un câble au bout duquel étaient accrochés une boîte de carton et un sac de couchage. La fille décrocha la boîte et le sac, puis l'hélicoptère pivota et disparut dans la brume.

Tout s'était passé très vite. Muet d'étonnement, Teddy regardait la fille. Elle était nu-pieds. Elle tenait la boîte dans ses bras.

— On gèle, dit-elle au bout d'un moment.

Elle avait une voix décidée et douce à la fois.

Un miaulement plaintif s'éleva de la boîte de carton.

— Moustache est gelée elle aussi.

— Excusez-moi, dit le traducteur, et il s'empressa de lui ouvrir la porte de la maison. Elle entra. Dans la cuisine, elle déposa la boîte par terre, près du poêle à bois, et elle dit :

— Matousalem ?

— Il est dehors. Il se cache dans le bois, dit Teddy.

— Les chats ont peur des sirènes de bateaux, dit-elle en soufflant sur ses doigts pour les réchauffer.

Il eut envie de lui demander comment il se faisait qu'elle connaissait Matousalem, mais il n'en fit rien. Elle sourit mystérieusement. Elle était blonde et elle avait les cheveux très courts et les yeux noirs comme du charbon.

Elle ouvrit la boîte.

— Tu peux sortir, ma belle Moustache, dit-elle.

La chatte se dressa sur ses pattes arrière pour jeter un coup d'œil à l'extérieur de la boîte, puis elle sauta. Elle avait le poil noir et long, et une belle queue en panache. Elle avait l'air de porter un masque de velours parce que le bas de son museau était blanc, comme le bout de ses pattes. Elle avait de très longues vibrisses noires.

Elle se mit à explorer les lieux. Teddy dit :

— Elle va faire une tournée d'inspection.

— Évidemment, dit la fille comme si cette question était entendue de toute éternité.

— Elle est à vous ?

— Oui.

— C'est une très belle chatte.

La chatte s'approcha du poêle à bois, flaira le plat de nourriture de Matousalem, reprit son exploration, puis elle monta l'escalier.

— Elle n'aime pas le Puss'n Boots ? s'inquiéta Teddy.

— C'est seulement parce qu'elle n'a pas fini sa tournée d'inspection, dit la fille.

— Tout ce que j'ai, c'est du Puss'n Boots. Il n'y a pas une boîte de Docteur Ballard dans la maison.

— Elle mange n'importe quoi.

— Il y a des chats qui...

— Je sais, dit-elle doucement.

Alors il comprit qu'elle ne parlait pas pour rien, qu'elle était une amie des chats et qu'elle les connaissait mieux que lui. Une fois, il avait dit à Théo que les amis des chats avaient probablement dans leur inconscient une zone de sérénité totale, comme il en existait peut-être au fond de la mer ; c'était le genre d'idées que Théo trouvait complètement ridicule. En se rappelant l'air réprobateur de son frère, il sourit, et la fille lui retourna son sourire. Elle ne posa pas de questions. Elle dit :

— Je prendrais un bon café.

Elle monta à l'étage pour voir où la chatte était rendue. Teddy remit dans l'armoire le pot de Nescafé qui traînait sur la table. De toute évidence, il convenait de faire du café au percolateur et il remercia mentalement le patron de lui avoir apporté, la semaine précédente, un mélange de java et de moka avec quelques onces de café noir pour corser la saveur. Il décida de préparer le café sur le poêle à bois, au lieu d'utiliser le poêle électrique, parce qu'il ne faisait pas très chaud dans la maison. Il attisa le feu avec le tisonnier, il mit par-dessus la braise quelques morceaux de bois de grève qu'il avait fait sécher et il ajouta une petite bûche d'érable. Après avoir fait le café, il s'occupa de remplir la boîte à bois ; il sortit plusieurs fois de la maison et ramena des bûches qu'il prenait sous la galerie. Quand il rentra avec la dernière brassée de bois, la chatte mangeait de bon appétit le Puss'n Boots que le vieux Matousalem avait laissé dans son plat. L'odeur du café se répandait dans la cuisine. La fille était assise dans la grande berceuse, près de la fenêtre, et elle regardait dehors. Elle se berçait doucement. Elle chantonnait un air qu'il n'avait pas entendu depuis très longtemps. Il chercha à se souvenir du titre et des mots, mais ce fut en vain.

— Seulement une tasse, ensuite je m'en vais, dit-elle tout à coup.

Elle dit qu'elle voulait le laisser travailler en paix. Il se rendit compte qu'il n'avait pas du tout pensé à son travail depuis qu'elle était arrivée dans l'île avec sa chatte, son sac de couchage et cet air incroyablement naturel qu'elle avait, comme s'il était dans ses habitudes de se promener en hélicoptère et de descendre par une échelle de corde sur la galerie d'une maison.

Il versa une tasse de café pour la fille et une pour lui. Elle prit place au bout de la table.

— Vous allez à la Maison du Sud ? demanda-t-il.

— Oui.

— Elle n'est pas chauffée...

— Il n'y a pas un petit poêle à bois ?

— Oui, mais le bois n'est pas coupé.

Elle buvait son café à petites gorgées en tenant la tasse au creux de ses deux mains. Elle demanda s'il y avait un *bucksaw* dans la Maison du Sud.

— Il y a un *bucksaw*, dit Teddy en soulignant très légèrement le mot qu'elle avait utilisé. Il n'avait pas pu s'empêcher de le faire.

Elle eut l'air de trouver que la question du chauffage était réglée et elle ne fit aucun commentaire quand il lui dit qu'il n'y avait que des conserves pour toute nourriture, que le ménage n'avait pas été fait, etc.

— Merci pour le café, dit-elle en se levant.

— Il n'y a pas de quoi.

— Je suis réchauffée maintenant.

Elle alla trouver Moustache qui était couchée en boule à côté du poêle et elle lui parla longuement à voix basse en lui caressant la tête et le dessous du menton.

— Et pour le dîner ? demanda Teddy.

— Je vais me débrouiller, dit-elle.

Il tourna la tête pour regarder dehors et il demanda, sur le ton le plus détaché qu'il put trouver :

— Et pour le souper ?

— Celui qui aura envie de voir l'autre ira le trouver, décida-t-elle après un moment de réflexion. Elle ajouta qu'il valait mieux laisser la chatte à la Maison du Nord pour ne pas l'obliger à explorer un deuxième territoire dans la même journée. Ensuite elle sortit sur la galerie. La brume se levait.

— La marée est très haute, dit Teddy. Les grandes marées du mois de mai sont arrivées.

— Je vais passer par l'intérieur de l'île.

— Il y a un sentier, dit-il en lui donnant le sac de couchage qui était resté sur la galerie.

— Je sais.

— Votre sac est drôlement lourd.

— C'est à cause des livres, dit-elle.

Elle avait apporté des livres et ils étaient enveloppés dans le sac de couchage. Prenant son sac sur l'épaule, elle s'en alla, pieds nus malgré le froid. De dos, elle avait plutôt l'air d'un garçon à cause de ses épaules un peu trop larges.

8

LE CERVEAU DU PRINCE

Tout l'après-midi, le traducteur eut des difficultés avec *Tarzan* : il n'arrivait pas à se concentrer. À cinq heures, il prit son fusil et se dirigea vers la Maison du Sud.

Il décida de passer par la grève et d'accomplir le mieux possible sa tâche de gardien. Le fusil, qui avait appartenu à l'ancien gardien, était un Remington-Whittmore de calibre .12 à double canon. Il l'emportait toujours quand il faisait une tournée dans l'île, car il était maigre et petit, avec des lunettes, et il ne pouvait espérer que les braconniers allaient fuir à sa vue. En cours de route, il inspecta une cabane en planches abritant la génératrice d'électricité de la Maison du Nord ; il visita scrupuleusement toutes les anses du rivage pour voir s'il y avait des traces de pas ou des douilles de cartouches et il nota les endroits où la marée avait apporté des billes de bois qui pouvaient servir au chauffage.

Il arrivait à la Maison du Sud lorsque la porte s'ouvrit.

— Bonjour ! dit la fille.

— Bonjour ! Vous allez bien ?

Elle avait une couverture de laine autour des épaules.

— J'avais décidé d'aller chez vous et je partais, dit-elle en souriant.

— Avez-vous très faim ? demanda-t-il.

— Non.

— Voulez-vous qu'on marche un peu ?

Elle accepta et s'offrit à porter le fusil.

— C'est un .12 ?

— Oui, dit-il en le lui donnant.

Elle mit la crosse du fusil sous son aisselle en gardant le double canon pointé vers le sol. Elle se retourna pour examiner la Maison du Sud et la fumée qui sortait de la cheminée.

— C'est une belle maison et je l'aime beaucoup, dit-elle.

Elle demanda à Teddy s'il y venait souvent. Il dit qu'il y venait presque tous les jours, quand il faisait le tour de l'île, et le soir, de temps en temps, pour regarder le coucher du Soleil sur le fleuve. Elle dit qu'elle avait vu toutes sortes de canards :

— Des sarcelles à ailes bleues, des sarcelles à ailes vertes, des pilets, des morillons à collier, des garrots communs. Et des canards noirs, évidemment.

— Vous aimez la chasse ? demanda-t-il.

— Non, mais mon père...

Elle s'arrêta.

— Est-ce que le fusil est chargé ? demanda-t-elle.

— Non. Je n'apporte jamais de cartouches, dit Teddy.

Elle se mit à rire et ils décidèrent de laisser le fusil à la Maison du Sud. Elle dit qu'elle avait aperçu un grand-duc en traversant le bois et que ses ailes mesuraient près de deux mètres. Ils prirent le sentier parce qu'elle espérait avoir la chance de le revoir. Le sentier était très étroit. Elle marchait devant et il voyait l'étiquette Maverick sur la poche droite de ses jeans.

Elle se retourna :

— Comment ça s'est passé quand Matousalem est rentré ?

— Très bien, dit-il. Il s'est approché de Moustache et il a flairé son odeur en poussant des drôles de petits grognements. La chatte s'est laissée faire, puis ils ont bu un peu de lait ensemble. Elle avait l'air de se sentir chez elle. Je veux dire : elle était à son aise.

— Trop ?

La fille regardait attentivement le traducteur. Il y avait un peu d'inquiétude dans ses yeux, qui paraissaient encore plus noirs.

— Trop à son aise ? insista-t-elle.

— Non, juste bien.

— Matousalem est vraiment très gentil, dit-elle, les yeux brillants.

— Merci, dit Teddy.

— Je m'appelle Marie, dit la fille.

— C'est votre vrai nom ?

— Mais oui.

Il lui dit comment il s'appelait et il expliqua :

— Teddy Bear vient de T.D.B. Et les lettres T.D.B. viennent de Traducteur De Bandes dessinées.

Ensuite ils reprirent leur promenade tout en parlant.

— Il a quel âge, Matousalem ? demanda-t-elle.

—J'en sais rien, mais il était déjà vieux quand je l'ai trouvé, dit Teddy.

— C'était où ?

— Dans le Vieux-Québec. Il était très sauvage et ça m'a pris deux mois pour l'apprivoiser. Mais il est toujours resté un peu sauvage.

— Peut-être qu'il avait été maltraité?

— Ça se peut, dit-il. Et Moustache?

— Elle a un an et quelque chose. Elle n'a jamais eu de petits chats. Sa mère était exactement comme elle, noire et blanche avec du grand poil, excepté la moustache qui était moins longue. Elle est très douce et elle aime jouer.

— Bien sûr, si elle est jeune...

Marie éternua.

— Vous avez le rhume? dit-il.

— Mais non.

Ils n'avaient pas revu le grand-duc et ils arrivaient à la clairière où se trouvait le court de tennis. À l'extérieur de la clôture métallique encadrant le terrain, il y avait une remise. Teddy ouvrit les deux battants de la porte et, prenant un ton faussement guindé :

— Voici le Prince, annonça-t-il.

— On voit rien du tout! dit Marie.

— Oh! pardon...

Il n'avait pas enlevé la bâche. Il s'empressa de le faire et Marie s'approcha parce que les rayons obliques du Soleil n'éclairaient qu'une partie de la remise. Le Prince lui fit immédiatement une forte impression. Il était noir mat et solidement bâti.

— J'en ai jamais vu d'aussi gros, dit-elle. J'en connais un, mais il est beaucoup plus petit.

— C'est probablement le Petit Prince, dit Teddy.

— Il est beau. Et il a beaucoup de colliers. Pourquoi?

Il lui montra comment on pouvait fixer sur le canon, à l'aide des colliers, un oscillateur qui faisait alterner la direction de la balle, et une rallonge qui élevait le canon à une hauteur de deux mètres et demi pour lui permettre de lancer des balles de service.

— Il peut lancer combien de balles ?

— Cent vingt-cinq. Mais ce n'est pas tout...

— Non ?

— Le Prince a un cerveau, dit-il.

Se mettant à genoux, il lui indiqua un réceptacle de forme rectangulaire qui était placé derrière l'affût du canon.

— On met une cassette là-dedans, dit-il. On presse le bouton qui est ici et le Prince suit le programme qui est enregistré sur le ruban magnétique de la cassette. Les programmes ont été établis par des ingénieurs en collaboration avec des instructeurs de tennis. Et comme les cassettes ne sont pas identifiées, on ne sait jamais à quoi s'attendre quand on joue avec le Prince. Vous comprenez ?

Elle fit signe qu'elle comprenait très bien.

— C'est un adversaire redoutable, dit Teddy. Il ne commet jamais d'erreur. Il peut vous obliger à monter au filet avec un amorti et, lorsque vous faites un pas en arrière parce que vous vous attendez à un lob, il vous lance une balle à cent kilomètres à l'heure sur la ligne de côté. Des fois, on a l'impression que son cerveau...

Marie éternua une seconde fois.

— Excusez-moi. Je me suis laissé emporter, dit-il.

— C'est pas grave, dit-elle. J'aime beaucoup le tennis moi aussi et je trouve que le Prince est très beau.

Elle caressa furtivement la joue du traducteur, puis elle l'aida à remettre le lance-balles sous sa bâche et à fermer la remise. Elle dit qu'elle avait trouvé un flacon de gin De Kuyper à la Maison du Sud.

— Une ponce au gin, ça va me faire du bien, dit-elle.

Il s'efforça de ne pas laisser voir que le mot « ponce » lui donnait envie de sourire. Mais, en emboîtant le pas à la fille, il ne put s'empêcher de se demander si ce mot était une déformation de l'anglais *« punch »* ; si ce dernier se trouvait dans le *Petit Robert* ; s'il y avait une différence quelconque entre les mots *« punch »* et *« grog »*. Quand ils arrivèrent à la Maison du Sud, une pluie fine s'était mise à tomber. Marie fit chauffer de l'eau sur le poêle et elle prit deux tasses en fer-blanc dans l'armoire.

— Je fais une ponce pour moi et une autre pour vous. Ça va nous réchauffer, dit-elle.

— D'accord, dit Teddy qui était frileux comme tous les gens qui sont trop maigres.

— J'ai même trouvé du miel. C'est le paradis terrestre, ici !

Elle versa un doigt de gin dans chaque tasse, puis elle ajouta l'eau bouillante et une cuillerée de miel. Éclairée au propane, la Maison du Sud n'était pas très confortable ; elle n'avait qu'une seule pièce, et la table, les chaises, le poêle à bois, le réfrigérateur à gaz et les deux lits superposés, tout l'ameublement était de petite dimension, presque à l'échelle des enfants.

Ils furent vite réchauffés, mais la fille aimait beaucoup le gin ; elle prépara une deuxième ponce avec l'eau qui restait dans la bouilloire. À la longue, ils trouvèrent que les chaises étaient un peu dures et ils allèrent s'asseoir sur le lit du bas, côte à côte, le dos appuyé au mur.

— Avez-vous réussi à travailler ? demanda Marie.

— J'ai travaillé, dit-il.

Il était content de pouvoir jouer sur les mots. Mais elle dit :

— Du bon travail ?

— Non, avoua-t-il à regret.

— À cause de moi ?

— Oui.

Il eût préféré ne pas avoir à le dire, mais c'était là pure vérité.

— Ça ne fait rien, dit-il.

— Peut-être que vous auriez voulu travailler ce soir ?

— Non. Je me lèverai un peu plus tôt demain matin.

— J'ai toujours pensé que la traduction était un travail difficile et qu'il fallait une patience infinie pour travailler avec les mots.

— Merci, dit-il, parce qu'il venait de retrouver d'un coup le sentiment de bien-être qui l'avait quitté un instant.

Il se leva et alluma la lampe à gaz.

— J'ai trouvé une expression comique dans le gros *Harrap's*, dit-il. Je cherchais quelque chose et, en tournant les pages, je suis tombé par hasard sur le mot « *plop* ». C'était écrit : « *He sits down plop.* »

— Et c'était traduit comment ?

— « Pouf ! il s'assoit. », dit Teddy.

Elle éclata de rire. Ils furent pris tous les deux d'un fou rire hystérique qui mit du temps à s'éteindre et qui reprit, plus tard, quand ils mangèrent un ragoût de boulettes Cordon Bleu et de la compote de pommes.

Après le repas, Marie s'endormait beaucoup. Elle se lava les pieds et ce fut lui qui les essuya parce qu'elle tombait de sommeil, puis elle passa un bras autour de son cou et il la porta jusqu'au lit du bas ; il l'aida à s'allonger dans son sac de couchage.

— Merci, dit-elle.
— Dormez bien, Marie.
— Dormez bien, Teddy.

C'était la première fois qu'elle l'appelait par son nom de code. Elle avait déjà les yeux fermés. Quand il vit qu'elle dormait profondément, il lava la vaisselle en évitant de faire trop de bruit. Ensuite il éteignit la lampe et il sortit. La pluie s'était arrêtée. En arrivant à la Maison du Nord, il s'aperçut qu'il avait oublié son fusil.

Au milieu de la nuit, il décida brusquement d'aller chercher le fusil. Il s'habilla, prit sa lampe de poche et se rendit à la Maison du Sud. Il trouva le trajet très court, comme si l'île était devenue plus petite. Il ouvrit doucement la porte et il entendit la respiration de la fille. Il remit un peu de bois dans le poêle. Alors il s'éveilla et se rendit compte qu'il n'avait pas quitté son lit et qu'il avait rêvé.

9

AVERTISSEMENT

— C'est ton instinct paternel, disait Théo.

— Va au diable, mon frère !

Le traducteur se faisait du souci pour Marie : depuis que le temps s'était remis au beau, après les grandes marées de mai, elle se baignait dans le fleuve tous les après-midi et elle s'éloignait imprudemment du rivage. Elle nageait très bien, mais il s'inquiétait des courants et de la proximité du chenal.

Il prit l'habitude de se lever une heure plus tôt, à six heures et quart du matin, afin de terminer son travail au milieu de l'après-midi. Ensuite il se dépêchait d'aller la trouver.

Elle marchait jusqu'au bout de la batture, elle enlevait ses vêtements et les laissait sur une roche, et elle entrait dans l'eau froide en s'aspergeant ; elle piquait vers le large comme si elle entreprenait la traversée de la Manche. Il la perdait de vue, surtout lorsqu'elle décidait de faire le tour du récif qui se trouvait au sud-ouest de l'île. Il s'efforçait de ne pas laisser voir son inquiétude, mais un jour qu'elle était venue souper avec lui, à la Maison du Nord, il lui montra les cartes du fleuve étalées sur les murs de la « chambre des machines ».

La « chambre des machines » était l'une des quatre pièces qui occupaient l'étage. Il y avait là le poste de radio dont Teddy se servait pour communiquer avec l'hélicoptère, un récepteur de télévision qu'il n'ouvrait jamais et le vieux téléscripteur qui permettait au patron d'envoyer des messages dans l'île depuis son bureau de Montréal.

Teddy amena Marie devant la carte n° 1208, qui portait le titre de « Grosse Île à Québec », et il lui indiqua l'endroit où était situé le récif qu'elle contournait à la nage. Il pensait qu'elle allait s'étonner de voir à quel point le récif était éloigné de l'île Madame, mais elle dit :

— Tiens, c'est curieux comme l'eau n'est pas profonde. Je pensais qu'il y avait au moins deux brasses d'eau, mais non : il n'y a même pas une brasse !

— Oui, mais le chenal est tout près, dit Teddy. Dans le chenal, il y a cinq brasses et le courant est fort.

— Tiens, c'est encore moins profond par ici, dit-elle en montrant du doigt la zone qui se trouvait de l'autre côté de l'île, au nord-est. On pourrait se rendre à l'île aux Ruaux si on voulait. Est-ce qu'on a une chaloupe ?

— Non.

Elle continua d'examiner la carte. Elle lut tout haut un avertissement rédigé en anglais et en français :

WARNING
Mariners should navigate
with extreme caution in this area.

AVERTISSEMENT
La plus grande prudence
s'impose en naviguant dans ces parages.

Parce que le gérondif « en naviguant » ne se rapportait pas au sujet du verbe, Teddy avait raturé la traduction et il avait écrit au-dessous :

La navigation dans ces parages
exige la plus grande prudence.

Ensuite il avait raturé cette phrase et l'avait remplacée par une autre :

Les navigateurs doivent être
très prudents dans ces parages.

Mais la phrase avait été remplacée par celle-ci :

La plus grande prudence
s'impose dans ces parages.

Cette phrase, raturée comme les précédentes, n'avait pas été remplacée.

Marie hocha pensivement la tête. Elle dit :

— On pourrait en demander une au patron...

— Une quoi ?

— Une chaloupe.

— Il ne veut pas : il trouve que c'est dangereux à cause des courants.

— Alors vous n'êtes jamais sorti de l'île ?

— Non.

— L'île aux Ruaux, c'est vraiment tout près, dit-elle. À marée basse, on pourrait même y aller à pied. En tout cas, c'est ce que mon père disait. Il était pilote de bateaux.

10

LA TARTE AUX BISCUITS GRAHAM

Il avait plu toute la journée.

À quatre heures de l'après-midi, il pleuvait encore un peu. Les chats dormaient. Le traducteur ferma ses dictionnaires, excepté le gros *Webster*, et il éteignit sa lampe de bureau parce que la lumière artificielle lui donnait mal aux yeux.

Il avait fait du bon travail, car il ne s'était pas inquiété de Marie : avec cette pluie, elle avait certainement décidé de lire au lieu de nager et d'aller jusqu'au récif. Il eut envie de boire quelque chose de chaud ; il descendit à la cuisine et, en cherchant le pot de Nescafé dans l'armoire, l'idée lui vint de préparer une tarte aux biscuits Graham pour Marie. Il consulta la recette qui se trouvait sur le côté de la boîte.

Depuis que la fille était là, il avait l'impression que l'île était plus petite. Sur une île, on est plus sensible à la présence des autres, songea-t-il. Ou peut-être que la présence des autres est plus envahissante. Il chercha une phrase qui pouvait mieux traduire cette idée, puis il pensa à Théo.

— Excuse-moi, dit-il à l'intention de son frère.

— Arrête de faire le zouave et lis la recette comme du monde, répliqua-t-il mentalement.

— Qu'est-ce qui te prend ?

— Tu me fais rire avec tes histoires de présence envahissante. Tu fais des belles phrases pour oublier que c'est une fille. As-tu remarqué ses yeux, pour commencer ? As-tu déjà vu des yeux aussi beaux et aussi noirs dans toute ta carrière de traducteur ?

— Jamais.

— Et as-tu remarqué le reste ?

— Comment veux-tu que je lise la recette comme du monde si tu passes ton temps à me parler de cette fille ? se plaignit-il. Il est quatre heures et dix et as-tu vu ce qui est écrit sur la boîte ? – « Laisser refroidir à la température de la pièce trois heures avant de servir ! » Sais-tu à quelle heure ça nous mène pour souper ?

Il se dit que la tarte aurait meilleur goût s'il la faisait cuire dans le four du poêle à bois. Il constata que la recette se divisait en trois parties : la croûte, la garniture et la meringue, et que le four devait être porté à une température de 375° Fahrenheit. Il mit un quartier de bois dans le poêle.

Il y avait dans l'armoire trois bols à mélanger en pyrex. Il choisit le plus grand, qui était de couleur or, et, en se servant d'une tasse à mesurer, il versa dans le bol les ingrédients nécessaires à la préparation de la croûte :

1 $\frac{1}{4}$ tasse de chapelure Graham
$\frac{1}{4}$ tasse de sucre granulé
$\frac{1}{3}$ tasse de beurre

Il était en train de mélanger les ingrédients avec une fourchette lorsqu'il huma tout à coup une inquiétante odeur de Puss'n Boots.

— Qu'est-ce que t'en penses, mon frère ? demanda-t-il tout en regardant si la température du four commençait à monter.

— J'en pense que tu ferais mieux de mettre un autre quartier de bois.

— Fais pas l'innocent, Théo. Je parle de la fourchette des chats.

— Une fourchette c'est une fourchette. J'ai rien vu de spécial.

— D'habitude, je la passe à l'eau, mais...

— Si t'as l'habitude de le faire, tu l'as sûrement fait. Je ne connais personne qui ait des habitudes plus régulières que toi !

— Tu dis ça avec ironie ?

— Pas du tout. Continue de mélanger et arrête de te casser la tête.

Quand il lui sembla que les ingrédients étaient bien mélangés, Teddy se demanda comment il allait s'y prendre pour effectuer l'opération suivante ; il avait lu sur la boîte qu'il fallait mettre de côté un quart de ce mélange de chapelure pour le parsemer, à la fin, sur la meringue de la tarte. Il faut mesurer un quart de ce qu'il y a dans le bol de pyrex, se dit-il. Mais dans le bol, il y a une tasse et quart, *plus* un quart de tasse, *plus* un tiers de tasse... Alors, qu'est-ce qu'on fait ?

— On fait ça au hasard. Au hasard Balthazar !

— Jamais de la vie ! protesta-t-il avec indignation et, grimpant l'escalier quatre à quatre, il alla chercher une tablette à écrire et son stylo, puis il s'installa à la table de la cuisine. Il mit d'abord les données de son problème sous la forme d'une équation :

$$(1\tfrac{1}{4} + \tfrac{1}{4} + \tfrac{1}{3}) \div \tfrac{1}{4} = x$$

Ensuite il simplifia l'équation :

$$\frac{\tfrac{5}{4} + \tfrac{1}{4} + \tfrac{1}{3}}{4} = x$$

Il la réduisit au plus petit commun dénominateur :

$$\frac{\tfrac{15}{12} + \tfrac{3}{12} + \tfrac{4}{12}}{4} = x$$

La solution donnait :

$$\tfrac{22}{12} \times \tfrac{1}{4} = \tfrac{22}{48} = 0{,}46$$

Le résultat était invraisemblable : c'était presque la moitié du mélange ! Il refit ses calculs, pensant qu'il s'était trompé, mais il arriva à la même solution. Alors il relut la recette et découvrit son erreur ; il avait lu « un quart du mélange » et, en réalité, la recette disait « un quart *de tasse* du mélange ». Il s'était livré à des calculs inutiles et avait perdu son temps. Tout à coup, il regarda l'aiguille du four : elle indiquait 400° Fahrenheit !

— Théo, c'est toi qui m'as fait ajouter un quartier de bois, reprocha-t-il à son frère.

— Pas grave. Sers-toi du poêle électrique.

— Mais le four n'est pas chaud...

— Écoute, mon frère. Tu es tellement maniaque et tellement lent... alors le temps de mettre le mélange dans ton moule à tarte et de l'aplatir...

— ...de le *tasser*, corrigea-t-il.

— ...de le tasser comme il faut dans le fond du moule et sur les côtés, tu peux être sûr que le four du poêle électrique va monter à 375° ou à peu près.

— Merci quand même, dit-il pour mettre un terme à cette discussion.

Après avoir mesuré la quantité du mélange qu'il devait mettre de côté pour la fin, il prit une fourchette pour tasser le reste dans le moule à tarte. Comme prévu, cette opération exigea beaucoup de temps parce qu'il ne pouvait s'empêcher de faire le travail de son mieux : il tenait à ce que le mélange fût tassé uniformément dans le fond du moule et qu'il couvrît parfaitement le rebord. Quand il eut terminé, il plaça le moule dans le four où le mélange de chapelure devait cuire durant huit minutes pour devenir une croûte de tarte. Il prit le chronomètre dans le tiroir des ustensiles et il le mit en marche.

Le chronomètre appartenait à Théo. Il avait une longue histoire, faite d'images fulgurantes comme le passage d'une Ferrari devant les tribunes du Mont-Tremblant ou le dérapage d'une Lotus dans les courbes de Monaco. Teddy fit un effort pour ne pas se laisser distraire par les vieilles images qui ne voulaient pas mourir. Une fois les huit minutes écoulées, il retira du four le moule contenant la croûte de tarte. Ensuite il lut la recette de la garniture :

$\frac{1}{2}$ tasse de sucre granulé

2 c. à soupe de fécule de maïs

1 c. à soupe de farine tout usage

¹/₄ c. à thé de sel
2 tasses de lait
2 jaunes d'œufs, légèrement battus
1 c. à soupe de beurre ou margarine
1 c. à thé de vanille

Il n'éprouva aucune difficulté à préparer la garniture. Il la fit bouillir durant trois minutes, chronomètre en main, sur le poêle à bois et il la laissa tiédir avant de la verser dans la croûte.

— Rien de spécial à signaler, dit-il à l'intention de son frère, excepté que j'aime beaucoup l'odeur de la vanille.

La recette de la meringue se lisait comme suit :

2 blancs d'œufs
¹/₄ tasse de sucre granulé.

Quand la meringue fut prête, il l'étala sur la garniture et il la parsema avec le mélange de chapelure qu'il avait mis de côté. Il plaça la tarte au four ; au bout de cinq minutes, la meringue prit une couleur dorée.

Il était sept heures du soir.

11

LA LUMIÈRE SUR L'ÉCRAN

La pluie avait cessé.

À travers l'assiette de pyrex, Teddy sentait la chaleur de la tarte aux biscuits Graham sur la paume de ses mains. Quand il arriva à la Maison du Sud, il ne vit pas de lumière. Il avança tout de même jusqu'au seuil de la porte et il toussa.

— Entrez ! dit la voix de Marie.

Il poussa la porte et s'arrêta aussitôt parce qu'il faisait trop noir. Ensuite il vit que Marie était assise à la petite table, un livre dans les mains. Il s'approcha et posa sa tarte aux biscuits Graham devant elle.

— Avez-vous mangé ?

— Non, dit-elle. J'ai commencé à lire et puis...

Elle fit comme un geste d'adieu.

— Je voulais venir plus tôt, dit-il, mais c'est la première fois que je fais une tarte... Je ne pensais pas que c'était aussi long.

— Ça sent bon, en tout cas.

Elle alluma deux chandelles et les plaça dans des soucoupes au milieu de la table.

— Ah ! non, fit Teddy. La meringue !

La tarte était couverte de maringouins qui s'étaient englués dans la meringue.

— J'aurais dû l'envelopper dans un papier d'aluminium.

— C'est pas grave.

— Mais la meringue est perdue, dit-il tristement, et il lui raconta les difficultés qu'il avait connues avant de réussir à parsemer le mélange de chapelure sur la meringue.

— Alors on va essayer de sauver cette fameuse meringue, dit-elle.

Avec une cuiller à thé, elle enleva un à un les maringouins, qui étaient au nombre de vingt-deux, et elle parvint à le faire sans jamais creuser la meringue jusqu'à la garniture.

— Merci beaucoup, dit Teddy qui avait compté les maringouins par-dessus l'épaule de la fille.

Ils prirent place l'un en face de l'autre et ils mangèrent chacun une pointe de tarte en silence et du bout des lèvres, puis ils commencèrent à se sentir affamés et ils mangèrent toute la tarte, et Marie racla la garniture qui avait coulé dans l'assiette en pyrex et Teddy but deux verres de lait.

— Qu'est-ce que vous avez fait de bon aujourd'hui ? demanda-t-il quand ils eurent terminé la tarte et allumé une cigarette.

— J'ai lu un paragraphe de mon livre, dit-elle.

Il lui demanda si son livre était difficile à lire.

— Mais non. C'est des nouvelles de Bradbury.

Il n'osa pas demander si le paragraphe était spécialement long, même si c'était la question qui lui paraissait la plus logique dans les circonstances.

— Je lis toujours très lentement, dit Marie. J'ai suivi un cours de lecture ralentie.

Elle parla d'un vieux professeur qui s'appelait Simon et qui avait perdu son emploi parce qu'il était toujours ivre ; elle l'avait connu en Gaspésie. Elle ne donna aucune explication sur la méthode que le professeur avait mise au point, mais elle dit que la lecture ralentie, à la seule condition d'être pratiquée dans un endroit calme, permettait d'apprendre par cœur des textes très longs.

— Vous pouvez me réciter le paragraphe que vous avez lu ? demanda Teddy.

— Mais oui, dit-elle après un moment d'hésitation.

— C'est difficile ?

— Non. Ça marche ou ça ne marche pas. Quand ça marche, c'est facile et quand ça ne marche pas, il n'y a rien à faire.

Elle proposa :

— Ça ne te fait rien qu'on se dise « tu » ?

— Bien sûr, dit-il.

Elle ferma les yeux et se recueillit durant plusieurs minutes, puis elle récita, de sa voix ferme et douce :

Je vis dans un puits. Je vis comme une fumée dans un puits, comme un souffle dans une gorge de pierre. Je ne bouge pas. Je ne fais rien, qu'attendre. Au-dessus de ma tête j'aperçois les froides étoiles de la nuit et les étoiles du matin – et je vois le soleil. Parfois je chante de vieux chants de ce monde au temps de sa jeunesse. Comment dire ce que je suis, quand je l'ignore ! J'attends, c'est tout. Je suis brume, clair de lune, et souvenir. Je suis triste et je suis vieux. Parfois je tombe vers le fond comme des gouttes de pluie. Alors des toiles d'araignée tressaillent à la surface de l'eau. J'attends dans le silence glacé ; un jour viendra où je n'attendrai plus.

Teddy avait fermé les yeux lui aussi, pour mieux écouter. Il les garda fermés jusqu'à ce que l'effet magique des mots de Bradbury se fût dissipé.

— Merci, dit-il ensuite. J'étais parti pour un autre... (il ne trouva pas le mot juste) et c'était très agréable. Je te remercie beaucoup.

— C'est rien, dit Marie.

— Et je suis content que tu sois là, ajouta-t-il.

— Merci. Je suis bien avec toi.

Elle l'embrassa doucement sur la joue. Il enleva ses lunettes et souffla sèchement sur un cil qui était collé à l'un des verres.

— Donne, dit-elle.

Elle essaya les lunettes avec l'envers de son t-shirt. Il lui demanda si elle pouvait réciter des textes plus longs.

— Une dizaine de pages. Tu veux que je t'explique comment ça se passe ?

— Oui, dit-il en remettant ses lunettes.

— Quand tu fermes les yeux, il ne faut pas que tu sois impatient. Il s'agit seulement d'attendre et c'est inutile de faire des efforts. À la longue, tu vois une sorte d'écran qui se détache dans le noir, mais c'est à l'intérieur de toi que ça se passe. Si tu te sens impatient, c'est inutile de continuer. Mais si tu te sens bien...

Elle hésitait.

— Si tu te sens bien, il y a une lumière qui apparaît au centre de l'écran et qui grandit... Quand je le dis, ça me paraît ridicule.

— Je ne trouve pas, dit Teddy.

Et, pour l'aider, il dit :

— C'est comme une lumière qu'on aperçoit derrière le brouillard ?

— Moins beau que ça, dit-elle. C'est plutôt comme l'écran d'une télévision quand tu viens de l'allumer, excepté que la lumière met beaucoup de temps à venir.

Elle se mit à rire.

Elle dit qu'on pouvait voir sur l'écran, distinctement et sans effort, le livre ouvert à la bonne page, le numéro de la page, chacun des mots et la ponctuation. Et, au sujet de la longueur du texte, elle expliqua que ce n'était pas une affaire de mémoire, ni de pratique, ni de volonté, mais plutôt une question d'âge : les personnes plus âgées pouvaient lire un plus grand nombre de pages sur l'écran.

— Je ne suis pas assez vieille, dit-elle. Tout ce que je peux lire sur mon écran, c'est une dizaine de pages.

12

LE POÈTE DE LA FINANCE

Teddy était allé au-devant du Jet Ranger, comme d'habitude, et il aidait le patron à transporter les colis.

— Elle n'est pas là ? demanda le patron en posant un sac de provisions sur le comptoir de la cuisine.

— Elle est allée dans le bois, dit le traducteur.

— Elle a dû voir le Jet Ranger...

— Oh ! c'est pas à cause de l'hélicoptère : elle est sortie vers cinq heures du matin.

— Ah ?

— Elle m'a réveillé et elle se frôlait contre moi, dit Teddy. Elle voulait absolument sortir pour aller courir dans le bois.

— Qu'est-ce que c'est ça ? fit le patron.

Ses gants de pilote étaient tachés d'un liquide rougeâtre et visqueux. Teddy fit l'inventaire des provisions et trouva un récipient de plastique dont le contenu avait coulé dans le fond du sac. Il trempa le bout de son doigt dans le liquide, huma l'odeur, puis il déclara :

— Sauce à spaghetti.

— C'est ma femme, dit le patron. Je lui ai parlé de vous et elle voulait vous faire un cadeau.

— Vous la remercierez de ma part. C'est vraiment très gentil.

— D'accord, mais avez-vous une guenille ?

Sans attendre la réponse, le patron essuya ses gants sur un tablier suspendu à un clou derrière le poêle à bois. Ce geste rappela au traducteur une phrase de Molière qu'il avait lue dans son *Petit Robert* : « Guenille, si l'on veut ; ma guenille m'est chère. »

Teddy suivit le patron qui allait chercher le reste des bagages dans le Jet Ranger.

— Comme ça, elle court dans le bois à cinq heures du matin ? dit le patron.

— Pas tous les matins.

— Elle est très jeune, évidemment.

— Bien sûr.

— Vous la trouvez trop jeune ?

— Mais non, elle est très bien.

Le patron monta à bord de l'hélicoptère.

— De toute façon, dit-il, la jeunesse n'est pas une maladie incurable. Quel âge avez-vous, déjà ?

Teddy se rendit compte que le patron parlait de Marie et non pas de la chatte ; il voulut expliquer qu'ils s'étaient mal compris, mais le patron lui tourna le dos et prit une valise qui se trouvait sur la banquette arrière du Jet Ranger.

— J'ai apporté ses affaires, dit-il. Alors qu'est-ce que je fais ?

— Pardon ?

— Est-ce que je descends la valise ou bien si je la rapporte ? C'est à vous de décider. Prenez votre temps : aujourd'hui je ne suis pas pressé.

Il ne se rendait pas sur la Côte Nord, cette journée-là, car son médecin lui avait conseillé d'abréger la tournée qui le conduisait chaque samedi dans toutes les villes où il possédait un journal. Il dit au traducteur de s'asseoir sur la grève, et, plaçant la valise de façon qu'elle gardât la portière ouverte, il s'assit de côté sur le siège du pilote, les pieds dans le vide, les mains à plat sur les genoux. Sa voix se fit plus grave :

— Je sais exactement ce que vous ressentez, dit-il. Quand j'ai décidé de me marier, savez-vous où j'étais... ? Sur un lit d'hôpital, à Sudbury, en Ontario. Laissez-moi vous dire une chose : la vie n'était pas facile dans ce temps-là ! Mon père m'avait donné une petite compagnie d'autobus qui était au bord de la faillite. Des fois, j'étais obligé de payer mes employés avec des billets d'autobus. Je passais mon temps à courir pour emprunter de l'argent. À force de courir, je me suis ramassé à l'hôpital avec un ulcère d'estomac. Qu'est-ce que j'ai fait ?... J'ai réfléchi comme vous êtes en train de le faire et j'ai pris une décision : je me suis marié avec une infirmière !

Il éclata de rire en se tapant sur les cuisses.

— Qu'est-ce que vous pensez de ça ? demanda-t-il à Teddy qui était assis sur une bille de bois.

Le traducteur sourit sans rien dire.

— Attendez un peu, reprit le patron du haut de son perchoir, ce n'est pas le plus beau. La même année, ma compagnie est devenue rentable. Ça m'a donné le goût d'en acheter une autre, dans la région d'Ottawa, et au bout de trois ans je me suis réveillé millionnaire. Et quand on a un million, mon cher Teddy, la seule chose qu'on veut c'est un deuxième million. Alors j'ai continué d'acheter des compagnies d'autobus, à Québec, à Montréal et un peu partout dans la province. Mais tout à coup il y a eu une grosse grève et j'ai compris que j'avais eu tort de mettre tous mes œufs dans le même panier. Et qu'est-ce que j'ai fait ?

— Vous avez réfléchi et...

— Exactement, dit le patron, j'ai réfléchi et j'ai acheté des journaux et des compagnies de papier et toutes sortes d'entreprises. Tenez, par exemple, la pitoune sur laquelle vous êtes assis : il y a toutes les chances du monde pour qu'elle appartienne à la Consolidated Bathurst, et la Consol c'est à moi. Non, non, restez assis. J'ai presque fini. Savez-vous quel est le nom que mes amis me donnent ?... Il y en a qui m'appellent « le poète de la Finance ». Ça ne m'insulte pas du tout parce qu'ils ont compris que, maintenant que je suis riche, j'essaye de réaliser un vieux rêve. Je vous en ai déjà parlé la première fois qu'on s'est vus. Mon rêve, c'est de rendre les gens heureux. C'est pour ça que vous êtes ici, dans l'île. Et c'est pour ça que j'ai amené Marie. Évidemment, je ne me prends pas pour Dieu le Père et je ne me suis pas dit : « Il n'est pas bon que l'homme soit seul » ou quelque chose du genre, mais j'ai pensé que vous auriez plus de chances d'être heureux à deux. Si je me suis trompé, vous n'avez qu'à me le dire et je ramène la valise et Marie. C'est aussi simple que ça. Alors, qu'est-ce que vous décidez ?

— Je ne sais pas, dit Teddy.

— Hein ?

— Excusez-moi, mais... Marie n'a pas dit qu'elle voulait partir.

— Tant mieux.

— Elle n'a pas dit non plus qu'elle voulait rester.

— *So what ?*

— Eh bien, j'aimerais mieux que ce soit elle qui décide, dit Teddy.

— Alors qu'est-ce que je fais avec la valise ? grommela le patron.

Il eut un léger mouvement d'humeur qui déclencha chez lui le réflexe de se croiser la jambe, et, à ce moment, la pointe de son soulier heurta la valise qui bascula dans le vide et tomba aux pieds du traducteur.

— C'est un signe ! cria le patron.

Repoussant la portière qui s'était refermée sur lui, il sauta à terre et secoua énergiquement la main de Teddy.

— Vous croyez ? dit le traducteur, ébranlé mais non convaincu.

— J'en suis absolument certain, n'en parlons plus. Ça ne vous ennuie pas de ramasser ça ?

En touchant le sol, la valise s'était vidée de son contenu ; les objets suivants étaient éparpillés sur la grève :

une bouteille de shampooing Halo pour cheveux normaux ou secs ;
une chemise de nuit blanche ;
une brosse à dents ;
un survêtement bleu à rayure blanche ;
une paire de jumelles ;
un maillot de bain de compétition ;
un livre de R.T. Peterson intitulé *A Field Guide to the Birds* ;
une paire de souliers de tennis ;
une raquette Billie Jean King.

Teddy replaça les objets dans la valise. Le patron le remercia de son amabilité.

— Vous êtes très gentil, dit-il. Donnez-moi ça, je vais l'apporter moi-même à Marie pour lui annoncer la bonne nouvelle.

— Puis-je vous demander quelque chose? dit Teddy.

— Tout ce que vous voudrez...

— Avez-vous apporté les journaux?

— Les journaux...?

— Je vous avais demandé de m'apporter des journaux. Je voulais voir comment les traductions étaient imprimées, dit Teddy.

— Je ne me souviens pas, dit le patron.

— Peut-être que je me suis proposé de vous le demander et qu'ensuite j'ai oublié de le faire.

— C'est probable. De toute façon, je les apporterai lors de ma prochaine visite. Maintenant, je vais vous demander un petit service.

— Qu'est-ce que je peux faire?

— Transporter cette pitoune à la maison pour faire du bois de poêle. Elle est en train de pourrir dans le sable...

Quand le patron fut parti, Teddy essaya de soulever la bille de bois, mais il ne put la faire bouger. Il se servit d'un bout de planche comme levier et d'une pierre comme point d'appui, mais il n'eut pas plus de succès: la bille de bois était trop enfoncée dans le sable. Alors il entreprit de creuser le sable avec ses mains pour la dégager. Il réussit à la soulever par un bout et à la mettre en équilibre sur son épaule.

À la Maison du Nord, il trouva une note sur la table de la cuisine. La note disait que le patron était allé à la Maison du Sud pour voir si Marie était là; qu'ils allaient revenir tous les deux vers midi et qu'ils mangeraient des œufs et du bacon ; que le traducteur était invité à passer le temps en jouant un match avec le Prince puisqu'il faisait beau.

Le patron avait raison, le temps était beau. Très beau, même, pour la saison. C'était le dernier samedi du mois de mai. Il faisait soleil et il n'y avait pas de moutons sur le fleuve.

13

LE VIEIL HOMME À L'ORÉE DU BOIS

Dimanche matin.

Teddy s'éveilla de bonne heure et il eut envie de jeter un coup d'œil sur les bandes dessinées que le patron lui avait apportées la veille.

Il alla chercher l'enveloppe, puis il se remit au lit et cala son dos sur un oreiller parce qu'il ressentait quelquefois des douleurs consécutives à une vieille entorse qu'il s'était faite à la cinquième vertèbre lombaire. Sur le pied du lit, Moustache se leva, s'étira, bâilla et se recoucha en s'appuyant la tête sur le ventre de Matousalem ; le vieux chat grogna sans ouvrir les yeux. Les deux chats s'entendaient bien, et Marie, ne voulant pas les séparer, avait décidé de laisser la chatte à la Maison du Nord.

Teddy vit avec soulagement que le patron n'avait pas ajouté de nouvelles bandes dessinées comme il l'avait fait deux fois, sans avertissement, après avoir acheté un quotidien dans les Cantons de l'Est et un hebdomadaire dans le Bas-du-Fleuve. L'enveloppe ne contenait que les bandes qui lui étaient familières, et, comme d'habitude, elles étaient mises sous deux enveloppes plus petites qui les partageaient en deux groupes : les bandes publiées en semaine et celles qui paraissaient le samedi dans les suppléments illustrés.

Le traducteur glissa la grande enveloppe sous l'oreiller et finit par se rendormir.

Une demi-heure plus tard, il fut réveillé par une odeur de café. Les chats n'étaient plus sur le lit. Il les appela doucement, mais ce fut Marie qui entra dans la chambre.

— Bonjour, dit-elle. As-tu bien dormi ?

— Très bien. Je ne me suis pas réveillé avant six heures. As-tu eu froid dans ta Maison du Sud ?

— Mon sac de couchage est très chaud, dit-elle. Je m'en suis déjà servie pour dormir dans la neige et je n'ai pas eu froid du tout.

— C'était à quel endroit ?

— Au lac Tahoe.

— Il paraît que c'est très beau, dit-il. Mon frère m'en a déjà parlé. Il a fait du ski dans ce coin-là.

— Où est-il, ton frère ?

— À San Francisco, probablement. Ou peut-être à Big Sur s'il ne vente pas trop. Ça dépend du temps qu'il fait. Il n'aime pas le vent. Il aime la chaleur et le soleil... Qu'est-ce qu'on entend en bas ?

— Le poêle. J'ai fait une attisée pour que tu n'aies pas froid en te levant. Ensuite j'ai fait manger Moustache et le vieux Matousalem, et ils sont sortis ensemble.

— Merci beaucoup, dit-il.

Elle pouffa de rire.

Le traducteur mit ses lunettes pour la regarder.

— Excuse-moi, dit-elle. Une idée stupide qui m'est passée par la tête... Ton lit est trop large pour être un lit simple et trop étroit pour être un lit double... donc c'est ce qu'on appelle un lit « continental », pas vrai ?

— Je pense que oui.

— Alors je me disais que c'était plutôt comique de dormir dans un lit *continental* quand on est sur une *île*. C'est une mauvaise blague, excuse-moi, dit-elle.

— Ça ne fait rien, dit Teddy.

Elle portait son survêtement bleu à rayure blanche et des souliers de tennis. Elle riait encore.

— Est-ce que tu m'invites sur ton *continent* ?

Il se poussa du côté du mur et souleva les couvertures pour lui faire signe de venir. Elle s'assit sur le bord du lit, enleva ses souliers de tennis et se coucha avec lui.

— Veux-tu savoir pourquoi je suis folle comme un balai ?

— Oui.

— Je suis heureuse ! dit-elle. Ça m'est arrivé tout d'un coup. Je me suis réveillée ce matin et c'était comme ça. Sans raison spéciale.

En parlant, elle avait mis une main sous la veste du pyjama de Teddy et elle lui caressait la poitrine et les épaules. Elle le regardait. Ses yeux étaient noirs et chaleureux, puis ils tournèrent au brun foncé et le traducteur eut l'impression d'y voir une question. Et il répondit, en cherchant ses mots :

— Je me sens toujours bien quand il n'y a pas d'agressivité... Et, quand je suis arrivé ici, dans l'île, il n'y en avait pas du tout. Alors j'étais bien et je pensais... mais depuis que tu es là, c'est encore plus agréable et je ne me suis jamais senti aussi bien de toute ma vie.

Ensuite il lui demanda :

— Est-ce que tu connais beaucoup de choses sur les arbres et les animaux et les jardins et sur la nature en général ?

— Pas grand-chose, dit-elle. Je connais un peu les oiseaux et j'ai appris des choses sur le fleuve et les marées parce que mon père était pilote comme je t'ai dit... mais c'est tout.

— Tant mieux.

— Pourquoi?

— Parce que si tu veux, dit-il, on va laisser l'île exactement comme elle est. On ne changera rien du tout. On ne coupera pas un arbre et on ne plantera rien du tout. On va se contenter de ramasser le bois mort et les pitounes qui traînent sur la grève pour se faire du bois de poêle.

— C'est juré, dit Marie.

Elle prit la main droite de Teddy et, la portant à sa bouche, elle souffla dessus pour la réchauffer: depuis quelque temps, le matin, sa main était engourdie et curieusement froide. Elle dit qu'elle aimait beaucoup l'île et qu'elle n'avait pas envie d'y changer quoi que ce soit. Elle trouvait que l'île ressemblait à un bateau, avec ses deux bouts en pointe. Elle aimait aussi la forêt de l'intérieur parce qu'elle était mystérieuse et sauvage.

Se levant d'un coup, elle alla regarder par la fenêtre.

— Faut que je parte, dit-elle.

— Tu vas jouer avec le Prince?

— Non. Regarde...

Elle ouvrit le blouson de son survêtement: en dessous, elle avait son maillot de compétition, qui était bleu et rouge avec une étiquette marquée Shane Gould.

— La marée baisse et je veux en profiter pour me rendre à l'île aux Ruaux. Mais elle n'est pas encore au plus bas et si tu veux venir avec moi, tu as le temps de déjeuner, dit-elle.

— J'y vais, décida-t-il.

— Où est ton maillot ?

— Premier tiroir du haut à gauche.

Elle lui apporta son maillot, le survêtement qui était suspendu derrière la porte et ses vieux souliers de tennis, puis elle descendit à la cuisine pendant qu'il s'habillait.

Quand il eut bu son jus d'orange, mangé son plat de gruau et ses toasts avec du miel, et vidé sa tasse de café, ils quittèrent la Maison du Nord en laissant la porte entrouverte au cas où les chats viendraient manger une bouchée ou se mettre à l'abri. En plus des ratons laveurs, il y avait dans l'île des renards roux qui n'appréciaient pas beaucoup la présence des chats. Le patron croyait qu'ils venaient de l'île d'Orléans où les gens, durant l'hiver, avaient coutume de jeter des déchets sur les battures ; attirés par les déchets, les renards s'aventuraient sur les glaces et celles-ci, flottant au gré du vent et de la marée, les emportaient au large et parfois jusque dans les îles du fleuve.

Sur la grève, le traducteur et Marie retirèrent le pantalon de leur survêtement et se le nouèrent autour du cou. Ils gardèrent leurs souliers de tennis pour entrer dans l'eau parce que le fond était rocheux et limoneux. Ils eurent rapidement de l'eau aux genoux, puis à la taille. Le courant devenait plus fort et l'eau plus froide à mesure qu'ils avançaient. De temps en temps, l'un perdait pied et s'accrochait à l'autre, et ils décidèrent de se tenir par la main. Ils progressèrent ainsi durant une vingtaine de minutes. Ensuite l'eau se fit moins profonde. Il y eut du sable, ce qui leur permit de voir le fond et de marcher sans glisser sur les roches ; toutefois, ils durent parcourir une longue distance avant d'atteindre l'autre rivage. Ils prirent le temps de se rhabiller et de souffler un peu avant de reprendre leur marche. La batture de l'île aux Ruaux était très longue et, au plus loin qu'ils pouvaient voir, elle semblait être barrée par une muraille de rochers. Ils se remirent à marcher en contournant les grosses roches, les flaques de vase et les amas de varech. Ils venaient de franchir la muraille quand ils aperçurent, au bord de la partie boisée de l'île, un homme qui tenait un fusil pointé vers eux.

L'homme était à cinquante pas. Il avait l'air d'un vieil homme.

Teddy fit signe à Marie d'attendre et il s'avança lentement vers le vieux. Après une dizaine de pas, il s'arrêta.

— Bonjour ! dit-il au vieil homme.

Le vieux ne bougea pas. Il tenait son fusil sur la hanche comme une mitraillette. Il portait un costume qui lui donnait une allure militaire.

— Je suis le gardien de l'île Madame, cria Teddy en montrant avec son pouce l'endroit d'où il était venu.

L'homme demeura complètement immobile.

Teddy fit encore quelques pas. Le vieux était très maigre. Il avait des lunettes. Son visage d'une blancheur cireuse était dépourvu de toute expression.

Marie rejoignit le traducteur. Ils restèrent de longues minutes silencieux, incapables de détacher leurs yeux de l'étrange vieillard qui semblait pétrifié à l'orée du bois.

Finalement, Teddy prit la main de la fille et ils s'en retournèrent à l'île Madame sans dire un mot.

14

TÊTE HEUREUSE

Il y eut quatre jours de mauvais temps durant les grandes marées du mois de juin. Quand le soleil réapparut, le traducteur et Marie, qui s'étaient ennuyés du Prince, décidèrent de jouer un match avec lui.

C'était un jeudi, à cinq heures de l'après-midi.

Le Prince commença par lancer des balles lentes et peu profondes qui donnèrent à ses adversaires le loisir de se dérouiller les muscles et d'ajuster leurs coups. Ils se tenaient derrière la ligne de fond, en position d'attente – penchés vers l'avant, genoux fléchis, la main gauche soutenant le col de la raquette – et ils retournaient les balles du Prince tantôt du coup droit, tantôt du revers, en appliquant à la lettre les conseils de monsieur Tilden. De temps en temps, le traducteur énonçait à voix haute les principes de base sur lesquels insistaient tous les auteurs : ne pas quitter la balle des yeux, faire sa « préparation » le plus tôt possible, se placer de côté, frapper la balle au centre de la raquette, prolonger ses coups loin devant soi. Quand Marie frappait un revers, toutefois, il ne disait plus rien car elle exécutait ce coup avec une aisance et une élégance qui se voyaient peu souvent et qui attestaient la vérité d'une petite phrase, en apparence anodine, que le traducteur jusque-là avait trouvée un peu suspecte : « Le revers, disaient les auteurs, est un coup plus naturel que le coup droit. »

Le Prince accéléra peu à peu sa cadence ; ses adversaires, bien réchauffés, n'eurent pas de mal à le suivre. Quand il augmenta la puissance de ses coups, ils reculèrent de quelques pas afin de mieux voir les balles qu'il leur lançait. Ils commencèrent à éprouver des difficultés lorsque le Prince, abandonnant son jeu régulier, se mit à leur lancer les balles les plus imprévisibles, comme un joueur qui tente de dérouter l'adversaire en le prenant à contre-pied. Ramassé sur lui-même, pointant vers eux son canon cerclé d'argent, le Prince les faisait avancer au filet puis il lançait des balles au-dessus de leur tête ; il les déplaçait vers les lignes de côté puis il projetait une balle très rapide en plein milieu du court ; il visait plusieurs fois de suite le même adversaire puis il surprenait l'autre au moment où celui-ci relâchait son attention.

Teddy et Marie étaient si occupés qu'ils ne virent pas arriver l'hélicoptère et quand ils l'entendirent bourdonner au-dessus d'eux, ils eurent à peine le temps de s'écarter pour le laisser atterrir sur le court. Le Prince dirigea une balle dans le pare-brise du Jet Ranger et s'arrêta de lui-même.

Le patron descendit de l'appareil, le contourna en titubant et ouvrit la portière de l'autre côté. Il reçut dans les bras un petit chien qu'une personne lui tendait au bout d'une laisse de cuir. Le chien était un chihuahua de couleur beige et il jappait furieusement. Il se calma un peu quand le sifflement du rotor s'éteignit. Au moment où le patron se penchait pour le mettre par terre, il reçut dans le dos un soulier argent à talon pointu.

— Hou-ou... ! fit une voix suraiguë.

Une femme au visage épanoui se tenait sur le marchepied du Jet Ranger et, penchée en avant, s'apprêtait à sauter. Teddy s'approcha rapidement et elle se laissa tomber dans ses bras ; son haleine sentait l'alcool.

— Merci, mon brave, dit-elle. Candy... ! Petit Candy... !

Le patron lui remit la laisse du chihuahua. Elle fut immédiatement entraînée par le chien en direction opposée à la Maison du Nord.

— Laissez-la faire, dit le patron assez rudement.

Il avait les traits tirés et la barbe longue. Il reprit, plus doucement :

— Ça va lui faire du bien de prendre l'air.

La femme s'en allait, remorquée par le chihuahua. Elle était grande et très mince. Elle avait une jupe gris perle à godets qui traînait par terre et un chemisier noir qu'on apercevait à travers une veste de dentelle brodée de fleurs blanches et munie d'une encolure de plumes d'autruche, et elle portait un chapeau vagabond qui était noir.

Le patron aida Teddy et Marie à ramasser les balles de tennis et à ramener le Prince dans la remise.

— Je m'excuse d'avoir atterri sur le court, dit-il, mais la marée était haute et je n'arrivais pas à trouver un terrain plat : ça bougeait partout.

Il expliqua qu'il était un peu *feeling*. Ils avaient donné un party à leur maison de Westmount et le party s'était prolongé jusqu'au lendemain ; sa femme, qui avait parfois des idées fixes, avait eu l'envie de faire une balade en hélicoptère et de se rendre à l'île Madame.

— Voulez-vous venir vous reposer à la maison ? proposa Teddy.

— J'ai une soif épouvantable, dit-il. Et je vais en profiter pour prendre vos traductions.

— Elles ne sont pas terminées.

— Non ?

— On est jeudi... intervint Marie.

— Jeudi ? Bon Dieu ! Et quelle heure est-il ?

Marie prit le poignet du patron et regarda l'heure que sa montre indiquait.

— Vous avez six heures et quart, dit-elle.

— J'avais complètement oublié : il faut que je sois au Château Frontenac à sept heures pour un rendez-vous d'affaires ! Bon Dieu de bon Dieu ! Voulez-vous m'aider à monter là-dedans ?

Marie grimpa dans le Jet Ranger et tira le patron par le bras tandis que Teddy lui poussait sur les fesses. Quand il fut installé, Marie lui demanda s'il n'oubliait rien.

— Excuse-moi, dit-il.

Il se pencha pour l'embrasser en lui disant qu'elle était la plus belle fille du monde. Elle lui fit signe de regarder Teddy : le traducteur lui tendait les souliers à talon haut de sa femme.

— Ah oui, ma femme... ma femme et mon chien, corrigea-t-il. Les voyez-vous quelque part ?

— Non, dit Teddy qui tenait la portière ouverte.

— J'ai pas le temps d'attendre. Auriez-vous l'obligeance de vous en occuper durant quelques jours ?

— Bien sûr.

— Si ça ne vous dérange pas trop, évidemment.

— Pas du tout. Mais vous êtes sûr de pouvoir piloter jusqu'à Québec ?

— Pas de problème. Je vais atterrir sur la Terrasse Dufferin. D'ailleurs, je suis seulement un peu *feeling*, répéta-t-il.

— Attendez une seconde, dit Marie.

Elle descendit de l'appareil, alla chercher un thermos de café dans le sac de tennis du traducteur et le patron en but une gorgée à même la bouteille.

Il mit le moteur en marche.

— Merci ! cria-t-il. Je vous aime beaucoup tous les deux ! J'espère que vous n'aurez pas trop d'ennuis avec ma femme : elle est un peu tête heureuse !

— Pardon ? cria Teddy.

— Tête heureuse ! cria le patron. C'est une expression ! Vous n'avez jamais entendu ça ?

Teddy fit signe que non.

15

LE *POUCHKINE*

Ils la surnommèrent Tête Heureuse.

Quand ils la revirent sur la grève, assez tard après le souper, elle avait détaché la laisse du chien et elle tenait un sac de couchage sous son bras.

Elle raconta qu'elle avait fait le tour de l'île. Elle avait trouvé le *sleeping* dans la Maison du Sud, puis elle s'était rendue jusqu'à la Maison du Nord et, ne trouvant personne, elle avait ouvert une boîte de Puss'n Boots pour Candy.

— Avez-vous vu les chats? demanda Teddy.

— Ils se sont cachés sous la galerie, dit-elle. Je ne sais pas ce qu'ils font là, mais j'ai l'impression que vous allez avoir des petits minous avant la fin de l'été!

Ensuite elle dit:

— Il avait très faim, le petit Candy. Il a mangé la moitié d'une boîte de poulet. C'est à qui, le *sleeping*?

— C'est à moi, dit Marie.

— Tu veux bien me le prêter pour dormir sur la grève?

— Oui, mais...

— Merci, ma belle fille.

Teddy et Marie se regardèrent.

— Chère Madame, dit le traducteur, il commence à y avoir pas mal de...

— Vous allez vous faire manger par les maringouins, dit Marie.

— La femme du *boss* manque de sommeil, dit Tête Heureuse avec une voix de petite fille.

Le chihuahua se mit à courir après un goéland qui faisait du rase-mottes. Le Soleil se couchait de l'autre côté de l'île d'Orléans. Un bateau s'en venait dans le chenal ; il était blanc et tout illuminé, et Marie dit que c'était le *Pouchkine* parce qu'elle le connaissait.

Tête Heureuse tombait de fatigue.

— Occupez-vous pas de la femme du *boss*. Faites comme si elle était pas là, dit-elle en déroulant le sac de couchage sur la grève.

Dans la lumière déclinante du crépuscule, elle laissa choir sur le sable sa veste de dentelle avec l'encolure en plumes d'autruche, puis elle enleva sa longue jupe à godets, son chemisier noir et tout ce qu'elle portait dessous, et finalement elle retira son chapeau vagabond en faisant un grand salut au paquebot russe qui s'éloignait, et elle laissa tomber le chapeau par-dessus les vêtements qui gisaient sur le sable. Elle ouvrit le sac de couchage et s'y installa.

— Viens-tu, mon ami ?

Candy se trémoussait et frétillait de la queue. Tête Heureuse entrouvrit le sac de couchage.

— Viens, mon beau Candy ! dit-elle.

Le chien hésitait.

— Aie pas peur ! le beau monsieur va te prendre dans ses bras.

— Est-ce qu'il mord ? demanda Teddy en s'approchant du chihuahua.

— Seulement quand il est énervé.

Le traducteur caressa le chien derrière les oreilles en lui murmurant des choses douces et idiotes, puis il lui parla dans une langue bizarre.

— *Sato balu*, disait-il au chien.

— Qu'est-ce que c'est ça ? demanda Marie.

— C'est en langue singe. Dans *Tarzan*. Ça veut dire « gentil bébé ».

Marie se mit à rire et, prenant le chien dans ses bras, elle l'apporta à Tête Heureuse.

— Plus près de ma bedaine. Ça va être plus chaud, dit la femme du patron avec sa petite voix.

Marie fit ce qu'elle demandait, puis elle remonta la fermeture éclair du sac de couchage.

— La femme du *boss* est un peu maganée, dit Tête Heureuse. Bonne nuit, les amoureux !

Ils réunirent des morceaux d'écorce, des brindilles et des petites branches, et ils allumèrent un feu à cinq ou six mètres de Tête Heureuse, entre le sac de couchage et le bord de l'eau, ensuite ils rassemblèrent des grosses branches et des billes de bois qu'ils placèrent en forme de wigwam au-dessus du feu.

Ils s'éloignaient vers la Maison du Nord quand ils entendirent le bruissement rythmé des vagues.

— Les vagues du *Pouchkine* ! dit Marie.

Ils revinrent sur leurs pas, très inquiets, mais ils virent que l'écume venait mourir au pied du feu ; alors Marie prit la main de Teddy et ils rentrèrent à la maison. Plus tard, vers onze heures, Marie s'en alla dormir à la Maison du Sud.

En pleine nuit, Teddy s'éveilla brusquement. Il s'habilla et se rendit à l'endroit où reposait la femme du patron. Marie était là. Elle avait ranimé le feu et elle était assise tout près, enveloppée dans une grande couverture de laine. Il toussa, de loin, pour ne pas l'effrayer.

— Elle dort comme une bûche, dit-elle quand il se fut assis à ses côtés.

— Et le chien ?

— Il dort lui aussi.

— As-tu dormi ? demanda Teddy.

— J'ai lu une demi-page, dit-elle. Et toi ?

— J'ai dormi un peu.

Ils parlaient à voix basse. Marie s'approcha de lui et passa la couverture de laine autour de ses épaules, puis ils ramenèrent les pans de la couverture sur leurs genoux et sous leurs fesses parce que le sable était humide. Ils restèrent là jusqu'au petit matin dans leur chaleur commune et dans la chaleur du feu. Ils entretenaient le feu à tour de rôle. De temps en temps, ils faisaient brûler de l'herbe pour éloigner les maringouins. Et quand le jour se leva, ils effacèrent leurs traces dans le sable afin que la dormeuse ne sût pas qu'ils avaient veillé sur elle.

16

LES DIX VOYAGES

Le patron n'eut pas l'air surpris du tout lorsque, le samedi suivant, sa femme lui annonça qu'elle se trouvait bien dans l'île et qu'elle voulait rester encore un peu.

— Demande à Teddy s'il est d'accord, dit-il. Regarde-le dans les yeux et demande-le-lui.

Tête Heureuse regarda le traducteur au fond des yeux. Le costume de soirée qu'elle portait depuis trois jours était défraîchi ; les plumes d'autruche, surtout, étaient aplaties par endroits et des traînées de boue maculaient son grand chapeau noir.

— J'ai pas envie de retourner en ville, dit-elle.

— Vous pouvez rester, dit Teddy.

— Vous êtes faits pour vous comprendre ! dit joyeusement le patron.

Il s'adressa ensuite à Marie :

— Et toi, tu ne dis rien ?

— Je ne dis rien, dit-elle calmement.

— Qui ne dit mot consent !

La bouche fendue jusqu'aux oreilles, il dit qu'il avait tout prévu, et, pour en faire la preuve, il vida un sac de victuailles sur la table de la cuisine et il leur montra fièrement les boîtes de Gaines Burger qu'il avait apportées pour Candy. Il avait aussi apporté une valise de vêtements pour sa femme ; la valise était dans l'hélicoptère.

— Avez-vous pensé à mon journal ? demanda Teddy.

— Vous allez le trouver dans un des sacs. J'ai pensé à tout, dit le patron.

— Merci.

Le patron lui serra la main et lui donna des tapes dans le dos. Tête Heureuse embrassa tout le monde.

— Je promets de ne déranger personne, dit-elle, les larmes aux yeux.

Quand le patron eut quitté l'île Madame pour se rendre à Rimouski et à Sept-Îles, Marie et Teddy se promenèrent sur la grève. Tête Heureuse était occupée à se laver les cheveux.

Ils marchèrent longtemps au soleil, allant paresseusement d'une anse à l'autre, puis ils s'assirent à l'ombre d'un saule pleureur. Ils eurent ce que Marie appelait une conversation muette. Ils se parlaient avec leurs yeux et leurs mains :

— Marie, tu te casses la tête ?

— Mais non, l'île est assez grande pour trois personnes.

— Peut-être qu'elle va rester seulement une semaine ou deux...

Marie haussa les épaules. Ses yeux noirs demandaient :

— Et ton travail ?

— T'en fais pas pour ça. Je vais me débrouiller.

— Oui, mais comment ?

— Bof...

Elle s'approcha de lui et mit les bras autour de son cou.

— Sais-tu quoi ? Je n'ai jamais rencontré un homme aussi doux que toi. Ça ne t'arrive jamais de te fâcher ?

Il tourna la tête pour cacher son embarras, et, quand il la regarda de nouveau, il vit qu'elle lui faisait une proposition et il prêta une grande attention à ce qu'elle disait.

Plus tard, ils revinrent à la Maison du Nord. Tête Heureuse, assise dans les marches de l'escalier, laissait sécher ses cheveux au soleil ; elle avait emprunté la robe de chambre du traducteur. Teddy lui fit part de la proposition de Marie : elles allaient s'installer toutes les deux à la Maison du Nord, tandis qu'il allait occuper la petite Maison du Sud parce qu'il avait besoin d'être seul pour travailler.

— C'est parfait, dit Tête Heureuse, je suis habituée aux grandes maisons.

Dans l'après-midi, ils déménagèrent.

Marie transporta ses livres, son sac de couchage et ses effets personnels en un seul voyage. Elle s'installa dans la « chambre des machines ». Ensuite elle aida le traducteur ; ils firent alors dix voyages :

1 pour les chats ;
1 pour les boîtes de Puss'n Boots ;
1 pour l'équipement de tennis ;
2 pour les effets personnels ;
3 pour les dictionnaires ;
1 pour le gros *Webster* ;
1 pour la grande berceuse.

Après le déménagement, ils se sentirent très fatigués et ils se baignèrent dans le fleuve en face de la Maison du Sud sans prendre la peine de se dévêtir. N'ayant pas la force de nager, ils se contentèrent de rester assis dans l'eau jusqu'au cou. Puis ils enlevèrent leurs vêtements pour les faire sécher sur une roche.

Lorsqu'ils furent de retour à la Maison du Nord, Tête Heureuse leur annonça qu'elle avait fait le ménage dans toute la maison et qu'elle avait préparé un spaghetti italien pour le souper. Le spaghetti italien était sa spécialité. Elle avait inventé une recette spécialement pour eux. Et, comme dessert, ils pouvaient manger les fraises qu'elle avait cueillies en face de la maison.

— Bon appétit. Maintenant, je m'en vais.

Elle appela Candy.

— Vous ne mangez pas avec nous ? demanda Teddy.

— Non, parce que...

Le chihuahua dégringolait l'escalier à toute allure.

— Il dort sur mon lit, dit-elle. Je m'en vais parce que j'ai fait une gaffe énorme. Sors-tu mon beau Candy ? Quand j'ai allumé le poêle à bois pour le...

Elle ouvrit la porte et le chien se précipita dehors.

— ...pour le spaghetti, j'ai vu le journal qui traînait sur la table, j'ai pensé que c'était un vieux journal et je m'en suis servie pour allumer le poêle. Mais c'était le journal que vous aviez demandé à mon mari.

Elle sortit et referma doucement la porte.

17

LES DEUX DRAGONS

Ils étaient si fatigués et ils avaient tellement faim qu'ils avalèrent la moitié du spaghetti avant de s'apercevoir que Tête Heureuse avait commis une erreur dans sa recette. Et l'erreur, d'après Marie, était reliée à la distinction que certaines personnes négligeaient de faire entre le piment rouge à saveur piquante et le piment doux qui était vert et s'appelait aussi poivron et pouvait aussi être rouge.

Cette explication, qui défiait les lois ordinaires de la logique, mijota un bon moment dans l'esprit du traducteur. Tout à coup, il y vit plus clair lorsque Marie demanda :

— Est-ce que la gorge te brûle ?

— Je crache le feu ! déclara-t-il avec le sentiment qu'il se laissait aller à un excès de langage.

Elle renchérit :

— On a l'air de deux dragons !

Il se leva de table et prit une canette de bière dans le frigo ; il en versa la moitié à Marie et garda le reste.

Marie but une longue gorgée, prit deux bouchées de spaghetti puis elle vida son verre d'un trait. Elle se leva à son tour et sortit deux canettes du frigo.

Ils n'avaient pas l'habitude de boire beaucoup de bière, mais, comme ils n'arrivaient pas à éteindre le feu qui leur brûlait la gorge, ils vidèrent encore deux canettes avant la fin du repas et deux autres pendant la soirée. Lorsque Tête Heureuse rentra de sa promenade avec le chihuahua, Marie monta sur sa chaise et récita :

Nul ne peut résister aux flammes qui jaillissent de ses mâchoires. Il a déjà détruit deux armées ; il a dévoré tous nos moutons et nos bestiaux, et ravagé le royaume de mon père. Sauvez-vous pendant qu'il est temps encore, et ne cherchez pas à me défendre !

Et quand la femme du patron demanda des nouvelles de son spaghetti, Marie grimpa sur la table :

Chaque année, poursuivit-elle, *une jeune fille vient ici se faire dévorer par le monstre, pour l'empêcher de se précipiter sur la ville et de massacrer tous les habitants. Je suis Sabra, la fille du roi, et cette fois le sort est tombé sur moi. Oh ! terreur, il est trop tard pour vous échapper !*

18

CERCLE VICIEUX

Teddy ne trouva pas la paix à la Maison du Sud. Bien au contraire, il fut pris dans un cercle vicieux dont les éléments s'enchaînaient comme suit : distractions → difficultés de traduction → mal de dos → distractions → etc.

Au cours de la semaine qui suivit le déménagement, les maringouins furent chassés vers l'intérieur par une brise du sud-ouest, légère mais soutenue, et Tête Heureuse en profita pour faire le tour de l'île deux fois par jour ; elle prit l'habitude de se promener nue afin d'améliorer la qualité de son *suntan*. Prévenu de son arrivée par les aboiements du chihuahua, le traducteur se laissa distraire par le spectacle de cette femme grande et mince qui marchait nonchalamment sur la grève, vêtue de son seul chapeau vagabond et le corps luisant de crème à bronzer. Il céda à la rêverie et il entreprit de longues discussions imaginaires avec son frère Théo.

Incapable de se concentrer, il eut du mal à traduire *Hagar l'Horrible*. Cette semaine-là, Hagar subissait les critiques de sa femme qui lui reprochait d'avoir un gros ventre : « *Either lose that pot or I'm leaving !* », disait-elle. Teddy vit dans le *Harrap's* que le mot « *pot* » était l'abréviation de « *pot-belly* » (gros ventre, panse, bedon, bedaine), et il choisit de le traduire par « bedaine ». Il consulta le *Petit Robert*. Pas de problèmes. Mais les difficultés commencèrent lorsque Hagar se mit à évoquer les périodes d'austérité et de prospérité que son ventre et lui avaient connues ensemble :

À l'exception du dernier mot, « *seconds* », dont le sens lui échappait, Teddy aurait traduit les deux bulles assez rapidement si les circonstances avaient été normales. Toutefois, privé d'une partie de ses moyens, il buta sur plusieurs mots et perdit du temps. Pour traduire le dernier mot, il finit par trouver « portion supplémentaire » dans le *Grand dictionnaire d'Américanismes*, mais il lui sembla que l'expression n'était pas fidèle à l'esprit du texte anglais. À force de se creuser la cervelle, il découvrit l'expression « deuxième service » ; il en fut d'abord satisfait puis le doute s'installa dans son esprit et il lui trouva toutes sortes de défauts. Il hésita... pendant une journée complète.

Comme il était en retard sur son horaire de travail, Teddy passa quelques jours sans jouer au tennis. Or, la pratique de ce sport était pour lui une forme de thérapie, car le travail sédentaire qu'il accomplissait depuis de trop nombreuses années lui avait donné une propension à souffrir de divers malaises dorsaux. Ce qui devait arriver arriva : un matin, en se penchant pour prendre des oranges dans le petit réfrigérateur de la Maison du Sud, il aggrava sa vieille entorse lombaire.

Tête Heureuse, qui avait des connaissances dans l'art du massage, s'offrit à l'aider puisqu'elle passait par là deux fois par jour de toute façon. La méthode qu'elle utilisa fit le plus grand bien au traducteur, tant sur le plan moral que physique, mais elle créa chez lui un tel état de dépendance que bientôt, quittant sa table de travail, il se mit à regarder par la fenêtre et même à sortir sur la grève en se demandant ce qui pouvait bien retarder l'arrivée de la masseuse.

C'est ainsi que ses distractions augmentèrent et qu'il se trouva enfermé dans un cercle vicieux.

19

LE MASSAGE DU SPORTIF

Tête Heureuse n'était pas une masseuse diplômée. Autodidacte, elle avait puisé la plus grande partie de ses connaissances dans des livres destinés à un large public : *L'Art du massage, Le Guide des caresses, Touchez-moi s'il vous plaît,* etc.

Elle avait tout de même entrepris l'étude d'un ouvrage à caractère scientifique, intitulé *Le Massage du sportif,* qui lui avait été prêté par un étudiant en physiothérapie. Rédigé en collaboration par les auteurs Battista, Dumas et Macorrigh, ce traité proposait les manipulations énumérées ci-dessous :

1. L'effleurage.
2. La pression glissée profonde.
3. Le pétrissage.
4. La friction.
5. La percussion.
6. Le secouement des membres.

Les rapports de Tête Heureuse avec l'étudiant avaient été interrompus au moment où elle ne maîtrisait encore que les deux première manipulations, soit l'effleurage, qui permettait « une prise de contact douce avec le sujet », et la pression glissée profonde, qui favorisait « l'évacuation et la résorption des déchets divers consécutifs au travail musculaire ».

Pour compenser les insuffisances de sa formation, elle avait mis au point une technique de son cru : après chaque séance de massage, elle s'étendait de tout son long sur le corps du sujet. Elle disait que cette technique avait pour but d'activer la pénétration de la chaleur engendrée par les manipulations, et le traducteur, quant à lui, s'en trouvait fort satisfait.

Sans le savoir, Tête Heureuse observait un précepte du célèbre De Frumerie :

« Le massage qui fait mal est un massage mal fait. »

20

UN OU DEUX INTELLECTUELS

Teddy n'alla pas au-devant de l'hélicoptère, ce samedi-là. Il n'avait pas terminé la révision de ses textes. Il lui restait du travail pour environ deux heures.

Au bout d'une heure, la chatte sauta à bas du lit où elle dormait avec Matousalem et elle courut vers la porte. Le traducteur la fit sortir et regarda dehors : Marie s'en venait.

Elle avait coupé les jambes de ses jeans à cause de la chaleur de juillet. Elle était très bronzée.

— Bonjour, dit-il. Moustache t'a entendue venir.

— Je ne voulais pas te déranger dans ton travail, dit-elle en prenant la chatte dans ses bras. J'avais l'intention de m'asseoir sur la grève et d'attendre que tu aies fini.

— De toute façon, je voulais me reposer un peu. Tu ne me déranges pas.

— Comment va ta main ?

— Pas très bien, dit-il. Est-ce que le patron veut me voir ?

— Oui. Et il nous a amené de la visite.

— Ah bon... Qui c'est ?

Il s'assit dans l'escalier.

— Deux hommes, dit Marie.

Elle dit qu'ils se proposaient sans doute de rester quelque temps puisqu'ils avaient des bagages. Tête Heureuse semblait les connaître et elle était en train de leur préparer quelque chose à manger pendant qu'ils s'installaient à la Maison du Nord. Le patron tenait beaucoup à ce que Teddy vînt prendre le lunch avec eux. Il voulait quitter l'île tout de suite après.

— Alors je n'aurai pas le temps de finir ma révision, dit Teddy.

Il mit la tête entre ses mains et chercha une solution, mais il était trop fatigué pour réfléchir. Marie lui dit ne pas s'en faire : elle allait trouver un prétexte pour retenir le patron jusqu'au milieu de l'après-midi et même plus tard s'il le fallait.

— La révision est une étape très importante, déclarat-elle. Tu peux trouver des mots nouveaux, des mots qui n'avaient pas eu le temps de mûrir.

— Merci, dit Teddy.

Et pour ne pas être en reste, il dit :

— J'ai toujours pensé que la lecture, et en particulier la lecture ralentie, était une occupation très importante en soi et très utile à l'humanité.

— Merci. Tu dis ça pour me faire plaisir ?

— Oui, Et toi ?

— Moi aussi, dit-elle.

— Alors mon frère Théo dirait qu'on est deux beaux zouaves !

Marie déposa la chatte par terre.

— L'histoire de ton frère, c'est à cause de Van Gogh et des *Lettres à son frère Théo* ? demanda-t-elle sans détour.

Il ne fut pas blessé par la question, dans laquelle il ne vit pas d'agressivité ni de curiosité gratuite, mais seulement de la clairvoyance... Quand le mot «clairvoyance» lui vint à l'esprit, Teddy le trouva un peu bizarre sans savoir pourquoi et il attendit quelques instants pour voir ce qui allait se passer. Alors il vit que le mot n'était pas seul et qu'il traînait derrière lui deux autres mots de même sens mais d'allure différente: «perspicacité» et «lucidité»; il écarta le premier, qui avait un air sournois, puis il tenta de comparer «lucidité» et «clairvoyance», mais, sous l'effet de la fatigue, ses pensées se mirent à dériver au gré des associations inconscientes et il en arriva à la conclusion irrationnelle que le mot «lucidité» convenait mieux à la chaleur de l'été tandis que le mot «clairvoyance» se prêtait davantage à la saison hivernale. Quand il comprit à quel excès il avait été conduit, il fit un effort pour revenir à la question concernant son frère Théo.

— Oui, répondit-il simplement.

Pour ne pas s'égarer de nouveau, il demanda à Marie si elle avait fait une lecture ralentie des lettres de Van Gogh et si elle voulait bien en réciter un court extrait.

— Un moment, dit-elle.

S'asseyant à côté de lui dans les marches de l'escalier, elle se recueillit et récita lentement:

Tel a un grand foyer dans son âme et personne ne vient jamais s'y chauffer, et les passants n'en aperçoivent qu'un petit peu de fumée en haut par la cheminée, et puis s'en vont leur chemin.

— C'est la phrase que j'aime le mieux, dit-elle après un long moment de silence.

— Tu es chanceuse d'avoir autant de mémoire, dit-il. Moi, j'ai presque tout oublié ce que j'ai lu et j'ai beaucoup de mal à me souvenir du passé. Quand je cherche à me rappeler comment les choses se passaient autrefois, j'ai l'impression... la seule impression d'ensemble qui me reste c'est que j'ai rapetissé, que la vie a rapetissé autour de moi et que j'ai rapetissé avec elle.

C'était difficile à expliquer. Il changea brusquement de sujet :

— As-tu revu le grand-duc ?

— Non, dit-elle. On ne voit pas bien les oiseaux au mois de juillet parce qu'il y a trop de verdure.

— C'est vrai, l'été est arrivé et je ne m'en suis pas aperçu, dit-il.

Comme il était presque midi, ils se mirent en route pour la Maison du Nord, et Marie lui donna des détails sur les visiteurs.

L'un des deux hommes était un savant français. Il s'appelait le professeur Mocassin ou quelque chose comme ça. Il enseignait à la Sorbonne et il était en Amérique depuis plusieurs mois pour mener des recherches sur les bandes dessinées. Il était petit, avec des lunettes rondes qui lui tombaient sur le bout du nez, et il ressemblait à Tournesol, dans *Tintin*, surtout qu'il portait un appareil auditif qui était démodé et fonctionnait mal. Mais il avait l'air d'être très calé : le cours qu'il donnait à la Sorbonne s'intitulait « l'Histoire et l'Esthétique de la bande dessinée ».

L'autre homme, plus jeune, avait un visage barbu et renfrogné. Il fumait une pipe croche et portait, en dépit de la chaleur, une chemise de flanelle à carreaux et des bottes d'ouvrier de la construction. Il grommelait au lieu de parler. Il venait de Montréal et c'était un auteur.

Ensuite, Marie expliqua ce qui avait amené les visiteurs dans l'île. Le vendredi soir, Tête Heureuse avait entendu crépiter le téléscripteur dans la «chambre des machines», qui était voisine de la sienne, et elle avait trouvé le message annonçant la visite régulière du Jet Ranger. Elle avait apporté le message à Marie, qui était en bas, dans la cuisine. Elle avait demandé s'il était possible de parler à son époux ; Marie lui avait dit qu'elle pouvait le faire en utilisant la radio si c'était urgent. Tête Heureuse avait affirmé que c'était très urgent et elle avait supplié Marie d'aller s'asseoir avec elle devant la radio et de manipuler les boutons et les commutateurs. Quand la communication avait été établie, elle avait dit dans le microphone :

— Allô ? Ici l'île Madame. C'est Tête Heureuse ! À vous.

— Qui ? avait demandé la voix du patron.

— Ta femme, *darling*. Tête Heureuse c'est mon nom de code. À vous.

— Bonjour ! Comment ça va dans l'île ?

— Très bien. J'ai hâte que tu voies mon *suntan*. Candy va bien lui aussi et il mange beaucoup. Et la belle Marie va très bien elle aussi. Elle est à côté de moi pour faire fonctionner la radio.

— Et Teddy, comment va-t-il ?

— Pas trop bien. C'est pour ça que je t'appelle, *darling*.

— IL N'EST PAS HEUREUX ?

— Je fais de mon mieux et Marie aussi, mais...

Alors ils avaient longuement discuté pour essayer de voir ce qui n'allait pas et comment il fallait s'y prendre pour que le traducteur fût heureux dans l'île. Finalement, le patron avait retenu l'hypothèse que ce qui faisait probablement le plus défaut à Teddy, c'était de n'avoir jamais l'occasion de « dialoguer au niveau de son travail ». Et Tête Heureuse avait dit :

— Peut-être que tu pourrais inviter quelqu'un... ?

— Oui, mais qui ?

— Je ne sais pas, un ou deux intellectuels...

Teddy ne put s'empêcher de rire parce que Marie imitait à la perfection la voix suraiguë de Tête Heureuse et la façon comique qu'elle avait de laisser ses phrases en suspens et de compléter sa pensée en traçant des signes avec son petit doigt pointé en l'air.

Le ciel s'était assombri et ils transpiraient en marchant sous la chaleur de plus en plus lourde. Ils avaient choisi de passer par la grève, espérant y trouver une petite brise, mais il n'y avait pas le moindre souffle de vent. La marée avait fini de monter ; elle était un peu plus haute que la semaine précédente : c'étaient les grandes marées de juillet.

— J'ai oublié une chose, dit Marie. Tête Heureuse a remis son costume de soirée, pas les plumes d'autruche mais tout le reste, et elle a fait sa valise comme si elle avait l'intention de partir.

— C'est ce qu'elle avait fait samedi dernier et elle n'est pas partie.

— Tu aimerais mieux qu'elle parte ?

— Non, dit Teddy. Elle m'empêche de travailler et je n'aime pas son chien, mais elle a une qualité que je n'avais pas remarquée au début : elle a le sens de la liberté et ça me plaît beaucoup.

— Et moi, tu sais ce qui me plaît le plus ? demanda Marie en lui prenant la main.

— Non.

— C'est toi, dit-elle en riant.

Quand ils arrivèrent à la dernière anse de la grève et qu'ils aperçurent à travers les arbres le Jet Ranger qui avait atterri près de la Maison du Nord, Teddy avait en tête une vieille chanson de Guy Béart qui lui était venue à cause des derniers mots de Marie, et la chanson disait :

> *Ce que je préfère en vous*
> *C'est vous*
> *Tout le reste ne vaut rien du tout*
> *Tout ce qui se trouve autour*
> *N'est que matière à discours.*

21

LE BONHEUR DANS LE *PETIT ROBERT*

Le patron fit les présentations. Teddy lut dans ses yeux une sollicitude encore plus grande que d'ordinaire. En serrant la main du traducteur, les nouveaux venus eurent un léger mouvement de recul mais ils se reprirent aussitôt et chacun prit place autour de la table.

Tête Heureuse avait servi des œufs et du bacon, une salade de poulet, des cretons et des fromages. Assise au bout de la table, en face de son mari, elle tenait Candy sur ses genoux pour l'empêcher de japper et elle couvait tout le monde d'un regard de mère poule. L'Auteur mangeait beaucoup et parlait peu, se contentant de marmonner quand il voulait le sel et le poivre. Au contraire, le professeur Mocassin parlait tellement qu'il n'avait pas le temps de manger. Il fit un récit détaillé des trois voyages de Jacques Cartier et, pour des raisons qui échappèrent à la majorité de ses auditeurs, il se lança dans un savant exposé sur la diminution annuelle de l'angle formé par le méridien magnétique et le méridien géographique.

— Arrêtez-moi si je me trompe, disait-il de temps en temps, par égard pour ceux qui l'écoutaient.

Lorsqu'une question lui était posée, il tendait l'oreille et, fouillant dans la poche intérieure de son veston afin de régler le volume de son appareil auditif, il déclarait, sans doute emporté par la rapidité de son élocution :

— Là n'est pas la question n'est pas là !

Agacé, puis exaspéré, l'Auteur s'agitait sur sa chaise. Finalement, incapable de contenir sa mauvaise humeur, il bougonna :

— Il est sourd comme un pot ou bien ses batteries sont à terre !

Et il prit congé là-dessus. Marie se leva pour servir le café et glissa quelques mots à l'oreille du patron. Celui-ci dit à Teddy qu'il avait la permission d'aller terminer son travail. Il retardait son départ d'au mois trois heures et il promettait d'aller chercher lui-même les traductions avant de quitter l'île.

Trois heures plus tard, l'hélicoptère se posait dans la crique sablonneuse qui faisait face à la Maison du Sud. Une enveloppe sous le bras, le patron se dirigea rapidement vers le chalet.

— J'ai terminé, dit le traducteur qui avait l'air fatigué mais content de lui.

— Tant mieux ! dit le patron.

Il lui donna l'accolade.

— Puisque vous faites des heures supplémentaires, je vais demander au conseil d'administration de vous augmenter.

— C'est pas nécessaire, dit Teddy. Pour vous dire la vérité, je pense que mon rendement diminue... Et puis, dans l'île, j'ai aucune dépense.

Le salaire du traducteur était versé directement à son compte de banque sans qu'il eût jamais besoin d'y toucher.

— On verra, dit le patron en regardant sa montre. Bon, je vous donne les nouveaux textes.

— Merci, dit Teddy en lui remettant ses traductions.

— Vous n'êtes pas un peu à l'étroit dans le petit chalet ?

— Non, je suis très bien.

— Mais c'est pas ennuyant ?

— J'ai besoin d'être seul pour travailler.

— Dans ce cas, vous allez avoir la paix : le professeur Mocassin et l'Auteur se sont installés à la Maison du Nord. Ah oui... ma femme a décidé de rester encore une semaine dans l'île. Ça vous dérange pas, j'espère ?

— Pas du tout.

— Et cette fameuse main ? s'inquiéta le patron.

— Rien de grave. Ça ne m'empêche pas d'écrire. J'ai un peu de mal à jouer au tennis, mais c'est tout.

— Je vais m'en occuper. À part ça, vous êtes certain que tout va bien ? Vous êtes *vraiment* heureux ?

— Écoutez, dit Teddy, c'est une question difficile. Comment fait-on pour savoir si on est heureux ou non ?

Le patron épongea la sueur qui perlait sur son crâne dénudé.

— Regardez dans le dictionnaire, proposa-t-il de façon inattendue.

Teddy ouvrit le *Petit Robert* et chercha le mot « heureux ».

— C'est écrit : « Qui jouit du bonheur », dit-il un peu tristement.

— Alors regardez au mot « bonheur » ! dit le patron en consultant sa montre une seconde fois.

Le traducteur obéit. Il lut :

— « État de la conscience pleinement satisfaite. »

— Ça ne nous avance pas beaucoup !

— Je vais chercher « conscience ». Un instant...

Il tourna les pages du dictionnaire.

— Vous n'allez pas aimer ça, dit-il au patron pour le prévenir.

— Lisez toujours... dit le patron d'une voix morne.

— « Connaissance immédiate de sa propre activité psychique », lut le traducteur.

22

AU-DESSUS DES CHOSES DE CE MONDE

Tête Heureuse dut espacer ses visites à la Maison du Sud afin de s'occuper de l'Auteur et du professeur Mocassin. Teddy ne s'en plaignit pas, car il était surchargé de travail : l'enveloppe qui lui avait été remise par le patron contenait deux bandes dessinées supplémentaires, *Dick Tracy* et *Buck Rogers*.

Au milieu de la semaine, Marie vint le trouver.

— J'ai vu que la lampe était allumée, dit-elle en s'asseyant à la table.

Il était tard. Assis près de la fenêtre, dans la berceuse qu'il avait apportée de la Maison du Nord, Teddy regardait les lumières de l'île d'Orléans et celles des bouées qui encadraient le chenal. Sur la table éclairée par la lampe à gaz, les dictionnaires étaient restés ouverts.

Ce soir-là, il devina que Marie avait quelque chose sur le cœur, par le ton qu'elle prit pour lui annoncer :

— Je vais te raconter une histoire.

— Quelle sorte d'histoire ? demanda-t-il prudemment.

— Une histoire *spéciale*. L'histoire d'un ermite.

— D'accord, mais ça ne t'ennuie pas si je m'installe dans le lit ?

Une histoire *spéciale*, cela voulait dire une histoire qui n'avait pas été apprise au moyen de la lecture ralentie ; une histoire qu'elle allait raconter en la modifiant à son gré. Elle se mit à ranger les dictionnaires pendant qu'il se déshabillait. Au moment de refermer le gros *Harrap's*, son attention fut attirée par le mot « *ethereal* » qui se trouvait tout au bas de la page de droite : elle ne résista pas à l'envie de regarder comment le mot était traduit, puis elle tourna la page et lut à mi-voix : « Au-dessus des choses de ce monde ».

— Pardon ? fit Teddy.

— C'est rien. Es-tu prêt maintenant ?

— Quand tu voudras.

— C'est l'histoire de l'ermite de l'île Saint-Barnabé, dit-elle en fermant le dictionnaire.

Teddy enleva ses lunettes et les mit à l'abri des chats dans un de ses souliers. Les deux chats étaient avec lui sous les couvertures. Marie dit que l'île Saint-Barnabé était située en face de Rimouski, dans le voisinage de l'île du Massacre où des Iroquois avaient exterminé deux cents Micmacs à l'époque du second voyage de Jacques Cartier. L'histoire qu'elle allait raconter était vraie et se passait en 1728. À ce moment-là, l'île Saint-Barnabé appartenait au seigneur de Rimouski.

— Un jour, dit-elle, les gens de Rimouski virent arriver un homme qui sortait de la forêt, du côté du lac Matapédia. Personne ne le connaissait et il ne connaissait personne. Il était fatigué, il avait l'air un peu triste comme les gens qui ont un secret et il ne répondait jamais aux questions. Il disait seulement qu'il s'appelait Toussaint Cartier et...

— ...et il toussait beaucoup parce qu'il s'était enrhumé en traversant la forêt, ricana Teddy.

Il fut pris d'un fou rire nerveux qui secoua les deux lits superposés et réveilla les chats.

— Excuse-moi. C'est difficile d'être sérieux quand on a travaillé toute la journée comme un zouave.

— Tu voudrais que je te laisse dormir ?

— Non. Je ne pourrai pas dormir tout de suite parce que je suis trop fatigué.

— Veux-tu une tasse de Nestlé Quick ?

— Non merci. Mais il y a une chose bizarre : j'ai froid aux pieds et pourtant il fait chaud dans la maison.

— Attends un peu, dit Marie.

Elle tira la berceuse auprès du lit et, soulevant les couvertures, elle mit ses pieds contre ceux du traducteur. Ensuite elle continua l'histoire :

— Toussaint Cartier habita durant quelques jours au manoir du seigneur de Rimouski. Un soir qu'ils se promenaient tous les deux sur la grève, le Soleil couchant rendit l'île Saint-Barnabé si mystérieuse et si belle que l'étranger fut immédiatement séduit et déclara au seigneur que son vœu le plus cher était d'aller s'y établir pour y vivre jusqu'à la fin de ses jours. Le seigneur acquiesça à son désir et l'aida à se construire une cabane dans l'île. Alors Toussaint Cartier s'installa dans son nouveau domaine, tout seul avec quelques animaux, un chien...

— ...et un chat qui s'appelait Matousalem, murmura Teddy.

— Il avait décidé de ne pas se marier, continua Marie sans relever l'interruption. Les gens de Rimouski l'appelaient « l'ermite de l'île Saint-Barnabé », et parfois, quand

100

ils regardaient vers le fleuve, ils apercevaient la fumée qui montait de sa cabane. Mais, en réalité, cette fumée était la seule chose vivante qu'ils voyaient.

Elle s'arrêta. Il avait les yeux fermés. Il ne dit rien, mais il frotta doucement ses pieds contre ceux de Marie.

— Au bout de quarante ans... reprit-elle.

Elle toussa pour s'éclaircir la voix et poursuivit en haussant le ton :

— Au bout de *quarante ans*, quelqu'un dans le village remarqua, un beau jour, qu'on ne voyait plus de fumée sortir de la cheminée... Fais-tu semblant de dormir ?

— Écoute, dit Teddy en s'asseyant dans son lit, les questions que tu te poses, ça concerne la vie et le travail ? C'est ça que tu veux me dire ?

— Oui.

— Le sens de la vie et le sens du travail ? précisa-t-il.

— Exactement. Tu te demandes où ça nous mène, toi aussi ?

— Des fois.

— Et alors ?

— Alors rien... J'ai rien trouvé du tout, dit-il piteusement.

Il remit ses lunettes pour essayer de voir si elle était déçue : au contraire, elle souriait à cause de son air piteux et, finalement, ils se mirent à rire. Ils rirent comme des fous pendant un bon moment. Ensuite, il lui demanda des nouvelles de l'Auteur et du professeur Mocassin. Elle raconta que le professeur tentait d'explorer l'intérieur de l'île, qu'il avait des ennuis avec les maringouins et qu'il avait hâte de revoir Teddy pour lui poser une question à propos d'une bande dessinée très ancienne. Quant à l'Auteur, il était presque toujours enfermé dans sa chambre – il avait l'intention d'écrire un livre – et quand il en sortait, il se faisait poursuivre par Candy qui ne pouvait pas le souffrir.

— Je n'ai plus froid aux pieds, dit soudainement Teddy.

— Ça me fait penser à une chose, dit Marie. As-tu déjà lu un roman qui s'appelle *Cat's Cradle* ?

— *Scrabble* ? fit-il parce qu'elle avait une curieuse façon de prononcer l'anglais.

— Mais non : *Cradle* !... Berceau !... En français, le titre c'est *Le Berceau du chat*. Un roman de Vonnegut.

— Jamais lu ça, avoua-t-il en bâillant.

Elle lui expliqua que, suivant le rituel des êtres que Vonnegut appelait les Bokononistes, toute personne frottant la plante de ses pieds contre celle d'une autre personne tombait instantanément amoureuse de cette personne, « à condition, disait l'auteur, que les pieds soient de part et d'autre propres et bien soignés ».

23

LE MYSTÈRE DES
BOUCLES D'OREILLES

C'était la mi-juillet.

Comme il n'y avait pas d'électricité à la Maison du Sud et qu'il faisait vraiment trop chaud pour utiliser le poêle à bois, le traducteur se laissa facilement convaincre par Marie de se joindre au repas que les habitants de la Maison du Nord prenaient en commun tous les soirs vers six heures.

Un soir, la table fut mise dehors et, aux quatre coins, on planta des tiges en spirale qui étaient enrobées d'une substance chimique, laquelle, en se consumant, avait la propriété d'éloigner les maringouins et les mouches noires. Le repas fut mouvementé. L'Auteur ne pouvait pas supporter une manie du professeur Mocassin : celle d'émettre des jugements définitifs sur toutes les questions.

Avant le dessert, Mocassin profita d'un moment d'accalmie pour prononcer un discours qu'il termina sur ces mots :

— Vous avez de la chance, mes amis, d'habiter un pays où tout est à faire... Et quel pays ! Ces forêts vierges, ces grandes étendues sauvages, ce fleuve superbe...

— *Fuck* ! rouspéta l'Auteur.

— Comment ? Des phoques ? Vous dites qu'il y en a dans le fleuve ? Eh bien, je n'en suis pas surpris, car il est bien connu que certaines espèces descendent jusque dans les eaux tempérées. Je vous signale, mon cher, qu'on a déjà rencontré un *phoca vitulina* dans le golfe de Gascogne !

— Où se trouve le golfe de Gascogne ? demanda Tête Heureuse qui était sa voisine de table.

Mocassin reprit sa chaise et ne répondit pas.

— Excusez-moi, dit-elle. Vous permettez ?

Avec la plus grande familiarité, elle tapota de son index recourbé la poitrine du professeur à l'endroit où un petit renflement du veston indiquait la présence des batteries qui alimentaient l'appareil auditif, et, au quatrième toc, Mocassin eut un léger sursaut.

Elle répéta sa question. Cette fois, le professeur répondit sans hésiter :

— Au large de Bilbao.

— Ah ! je connais ça : c'est dans une chanson d'Yves Montand qui s'appelle *La Chanson de Bilbao*, dit-elle.

— Les paroles sont de Boris Vian, précisa Teddy.

— C'est une de mes chansons préférées, dit Mocassin. Voudriez-vous la chanter, chère Madame ?

— Si je me souvenais des paroles... T'en souviens-tu Marie ?

Marie savait les paroles par cœur et ce fut elle qui chanta *La Chanson de Bilbao*, tandis que le professeur battait la mesure avec sa fourchette.

— Je suis ravi de voir que vous aimez les chansons françaises, déclara-t-il, et je ne peux vous cacher plus longtemps que j'ai l'impression de retrouver ici un coin de la France. Vous me voyez très ému et...

— On n'est pas des Français ! coupa brutalement l'Auteur.

— Je vous l'accorde, mais diriez-vous que vous êtes des Américains ?

— Non plus !

— Alors qui êtes-vous ? demanda le professeur, qui avait une propension à s'échauffer rapidement.

— On cherche, répondit platement l'Auteur.

— Est-ce que quelqu'un voudrait un *sundae* au chocolat ? s'enquit Tête Heureuse.

Cette intervention empêcha la discussion de s'envenimer, et Teddy demanda au professeur quelle était la nature de la question qu'il se posait à propos des bandes dessinées.

— J'allais justement vous en parler.

Le professeur sortit un mouchoir, s'épongea nerveusement le front et se mit debout :

— Cher collègue et chers amis, commença-t-il, l'heure est maintenant venue de vous exposer les raisons de ma visite. Celui qui vous parle est en quelque sorte un spécialiste de l'image, et, sans se vanter, il peut dire qu'il a étudié avec le plus grand soin les bandes dessinées qui ont été produites par l'homme sous toutes les latitudes et à toutes les époques, y compris, bien entendu, les images gravées sur les murs de la grotte de Lascaux, car elles sont, n'en doutez pas un seul instant, les ancêtres de la bande dessinée moderne.

Tête Heureuse lui versa un verre d'eau et il en but une gorgée.

— Et pourtant..., enchaîna-t-il pour étouffer quelques huées venant du côté de l'Auteur, et pourtant, chers amis, c'est dans un esprit de profonde humilité que je m'adresse à vous et que je fais appel à votre collaboration. En effet, tout spécialiste de l'image que je sois, je ne puis me passer des lumières d'un spécialiste du texte, lequel, fort heureusement, se trouve parmi vous ; je lui pose donc cette question préalable : cher collègue, connaissez-vous la bande dessinée qui s'intitule *The Katzenjammer Kids* ?

— Non, répondit le traducteur sans hésiter.

Le professeur Mocassin devait s'attendre à cette réponse, car il n'en fut nullement affecté.

— Vous la connaissez, j'en suis certain, mais vous vous laissez abuser par l'allure allemande du titre. L'auteur est, en effet, un Américain né en Allemagne : son nom est Rudolph Dirks. C'est le 12 décembre 1897, très précisément, qu'il a créé cette bande qui raconte l'histoire de deux gamins vivant dans une île où ils sont fort occupés à jouer des tours. Ils s'appellent Hans et Fritz...

— Je ne vois pas.

— Attendez... cher collègue. La bande a changé de nom plusieurs fois. Elle s'est appelée *Hans et Fritz*, et lorsque les Américains sont entrés en guerre contre l'Allemagne, en 1917, elle est devenue *The Captain and the Kids*. Et, si mes souvenirs sont exacts, ce dernier titre a été traduit en français par *Les Enfants du capitaine*. Qu'est-ce que vous en dites ?

— C'est une bonne traduction, dit Teddy.

— Là n'est pas la question n'est pas là ! Je vous demande si vous retrouvez cette bande dessinée parmi vos souvenirs !

106

— Je suis désolé, mais j'ai une très mauvaise mémoire. Peut-être que Marie...

Légèrement impatient, le professeur demanda à Tête Heureuse d'aller chercher de quoi écrire. Il s'assit et mangea son *sundae* au chocolat qui avait fondu en grande partie. Puis il donna de nouvelles précisions :

— Je vous parlais tout à l'heure de deux gamins qui se plaisent à jouer des tours... Eh bien, leurs victimes sont le plus souvent le Capitaine et l'Inspecteur. Ces deux-là sont très paresseux et leur principale occupation consiste à jouer aux cartes, ce qui les oblige à se cacher d'une grosse mégère qui est armée d'un rouleau à pâtisserie ; elle porte un énorme chignon et voici à peu près, cher ami, de quoi elle a l'air.

Se servant du stylo à bille et du carnet que Tête Heureuse venait de lui apporter, il exécuta le dessin suivant :

Pendant que le dessin passait de main en main, il poursuivit :

— Le Capitaine est vêtu d'un éternel costume de marin et il a une barbe en éventail. Quant à l'Inspecteur, il porte un chapeau très spécial et une longue barbe de prophète qui descend jusqu'à terre et je n'exagère pas du tout, vous allez voir.

Il griffonna deux autres dessins qu'il exhiba ensuite à ses auditeurs :

— Ça y est ! Je me rappelle ! s'exclama Teddy.

La lumière s'était faite dans son esprit tout d'un coup. Il était content de se rappeler. Il souriait.

— Quand j'étais jeune, dit-il, la bande dessinée s'appelait *Toto et Titi*. Je me rappelle très bien.

— Je n'en attendais pas moins de vous, cher collègue, dit Mocassin, et il serra chaleureusement la main gauche du traducteur par-dessus la table.

— Vos dessins sont très bons, dit Tête Heureuse.

— Vous me flattez, Madame.

— Pas du tout.

— À côté de vous, Picasso n'était qu'un pique-assiette ! plaisanta l'Auteur.

— « Les jeux de mots sont la fiente de l'esprit », cita Mocassin en lui jetant un regard noir.

Là-dessus, il se leva de nouveau et annonça qu'il en venait au fait. Mais il se lança plutôt dans une série d'explications qui parut à ses auditeurs longue et ennuyeuse, et qui donna aux tiges en spirale le temps de se consumer jusqu'au ras du sol où elles s'éteignirent. Tête Heureuse alla chercher dans la salle de bains le flacon de ce qu'elle appelait « l'huile à mouches ».

Le professeur disait, en substance, qu'il y avait non pas *une*, mais *deux* bandes mettant en scène les mêmes personnages : la bande originale, créée par Rudolph Dirks, et une copie très fidèle dessinée par un certain Harold Knerr. Cette curieuse situation remontait à un conflit qui avait éclaté en 1912, au moment où Dirks s'était brouillé avec son employeur, la firme Hearst, pour une histoire de congé que celle-ci lui refusait. Dirks s'était alors trouvé un autre employeur et la firme lui avait intenté un procès. En vertu du jugement rendu par le tribunal, la Hearst conservait la bande et pouvait engager un nouveau dessinateur, tandis que Dirks avait le droit d'utiliser ses personnages à condition de choisir un autre titre. La firme Hearst avait aussitôt engagé le dessinateur Harold Knerr, qui s'était mis à copier le style de Dirks avec une telle habileté qu'un lecteur non prévenu n'y voyait aucune différence. Depuis lors, la même bande dessinée était publiée par deux auteurs, sous deux titres différents, dans deux journaux de New York.

— À votre avis, de quel auteur était la bande dessinée que vous avez lue dans votre jeunesse ?

— Je serais incapable de le dire, avoua Teddy.

— Ça ne fait rien. Voici la clef du mystère.

— Est-ce que ça va être long ? s'informa l'Auteur.

— Très bref.

Mocassin se pencha vers le traducteur :

— Les deux bandes ne sont pas tout à fait identiques, révéla-t-il. Dans les dessins de Rudolph Dirks, la mégère porte de très petites boucles d'oreilles, tandis qu'elle n'en a pas dans les dessins de Harold Knerr. Voyez-vous, cher collègue, ce sont les boucles d'oreilles qui permettent d'identifier la bande originale.

— Je n'avais pas remarqué, dit Teddy.

— On ne fait jamais assez attention aux détails.

Sa voix avait pris un léger ton de reproche.

— Je suis désolé, dit le traducteur.

— Bon, j'en arrive à la question précise que je suis venu vous poser.

Il esquissa un geste pour attraper un maringouin qui tournait autour de sa tête. Il était de plus en plus nerveux et il surveillait Teddy du coin de l'œil comme s'il avait peur d'être une nouvelle fois déçu dans les espoirs qu'il avait mis en lui.

— En qualité de spécialiste du texte, dit-il en détachant les mots, avez-vous noté si la bande que vous avez lue conservait des traces de l'accent, je veux dire du *ton germanique* que Rudolph Dirks lui avait donné à ses débuts ?

— Non. Je regrette.

— Mais réfléchissez un peu, nom de Dieu ! Vous avez répondu sans réfléchir !

— Je suis vraiment désolé, mais c'est une question qui dépasse ma compétence.

Le professeur s'assit lourdement.

— Vous ne pouvez pas savoir à quel point..., commença Teddy.

Il n'alla pas plus loin, ne sachant trop quoi dire : le professeur Mocassin était plongé dans une torpeur profonde et son visage accablé exprimait une déception et un dégoût qui paraissaient s'étendre à l'humanité tout entière ; en outre, son front montrait plusieurs protubérances causées par des piqûres de maringouins.

— Voulez-vous de l'huile à mouches ? proposa Tête Heureuse.

Le professeur n'eut aucune réaction.

Elle fit signe aux autres qu'elle allait s'occuper de lui. Ayant débouché le flacon, elle se versa un peu d'huile sur le bout des doigts et elle en appliqua délicatement sur le front du professeur, puis sur le menton et sur les joues. Ensuite elle étendit l'huile avec ses doigts, dans un mouvement circulaire, pour couvrir le tour des yeux et de la bouche, et le visage en entier. Elle ajouta un peu d'huile à deux endroits qu'elle savait être spécialement vulnérables aux piqûres de maringouins : derrière les oreilles du professeur et sur les poignets.

24

VICTOR IMPÉRIAL

Teddy se remit au tennis dès que son entorse à la cinquième vertèbre lombaire fut guérie.

Il s'aperçut que la qualité de son jeu avait considérablement diminué. Afin de retrouver sa forme, il prit l'habitude de se rendre sur le court tous les jours de beau temps, entre onze heures et midi. Il jouait parfois avec Marie, mais plus souvent avec le Prince, qui était l'adversaire indiqué dans les circonstances.

Pour surmonter le handicap que constituait l'engourdissement de sa main droite, il s'accoutuma à tenir sa raquette à deux mains durant les premières minutes de jeu. Il nota que cette technique ajoutait de la force à ses coups et lui permettait de dissimuler jusqu'au dernier moment la trajectoire de sa balle. Toutefois, il renonçait à cet expédient aussitôt que sa main était réchauffée, car il préférait la technique traditionnelle pour des raisons d'ordre esthétique.

Grâce à son cerveau électronique, le Prince avait un jeu dont la perfection dépassait les possibilités humaines, et Teddy, même au meilleur de sa forme, ne pouvait songer à rivaliser d'adresse avec lui. Et pourtant, un curieux phénomène se produisait, certains jours qu'il n'y avait pas de vent et que le temps était sec. Le traducteur sentait confusément que ses bras, ses jambes et finalement son corps en entier était envahi par une sorte de chaleur ou d'énergie, mentale et physique à la fois, qui l'élevait au-dessus de ses capacités ordinaires et lui permettait ainsi d'accéder à un univers de bien-être où chacun de ses muscles obéissait à la plus petite stimulation de son cerveau et où ce cerveau lui-même fonctionnait en parfaite harmonie avec celui du Prince.

Mais il suffisait d'un incident pour que Teddy fût brusquement ramené sur Terre et c'est ce qui arriva, un matin, lorsque l'Auteur, qui observait la scène depuis quelques minutes, l'interpella :

— Hé ! Jouez-vous toujours avec des machines ?

Avant de répondre, Teddy alla stopper le mécanisme du Prince.

— Est-ce que ça vous arrive de jouer avec du monde ? reprit l'Auteur.

— Bonjour, dit Teddy. Je joue avec Marie de temps en temps. Elle a un très beau revers et elle joue mieux que moi. Êtes-vous un amateur de tennis ?

— J'ai joué pas mal au collège. J'ai même remporté un tournoi !

Sa chemise de flanelle, déboutonnée, laissait voir un début de bedaine.

— Mais j'aurais besoin d'un peu d'exercice, dit-il.

— Dans ce cas, aimeriez-vous jouer demain à onze heures ?

— Pourquoi pas tout de suite ?

— Vous n'avez pas d'équipement...

— J'ai vu que vous aviez une autre raquette, dit l'Auteur en pointant du doigt le sac de tennis.

— Oui, mais vous n'êtes pas... Je veux dire, vous allez avoir chaud si vous jouez habillé comme ça.

— Bof ! C'est pas le costume qui fait le joueur !

Il détailla avec un certain mépris le costume d'un blanc impeccable que portait le traducteur, puis il enleva sa chemise et la suspendit au poteau du filet.

— Ça ne vous ennuie pas si je joue avec mes bottes ?

— J'aimerais mieux attendre à demain, dit Teddy. D'ailleurs il est presque midi et il faut que je reprenne mon travail à une heure. Le temps de me changer et...

— Vous avez peur de jouer avec un homme ? insinua l'Auteur.

Se rendant compte qu'il perdait son temps de toute façon, Teddy capitula :

— Bon, c'est d'accord. Je travaillerai plus tard.

Il ramena le Prince dans la petite remise et le couvrit avec la bâche qui le protégeait de la poussière. Pendant ce temps, l'Auteur avait pris la deuxième raquette et, ramassant des balles sur le court, il les expédiait dans la clôture pour se réchauffer.

— C'est des vieilles pelotes, dit-il. Avez-vous d'autre chose que ça ?

Teddy fouilla dans son sac et lui donna une boîte de balles qui avait été ouverte deux jours plus tôt. En recueillant les vieilles balles dont il s'était servi pour jouer avec le Prince, il vit que l'Auteur laissait des traces profondes un peu partout avec ses bottes, et il lui dit :

— Vous ne craignez pas d'avoir chaud avec vos bottes ?

— C'est pas mes bottes qui me causent un problème, répliqua l'Auteur, c'est votre raquette : elle est trop légère pour moi.

— Eh bien, d'après monsieur Tilden... commença Teddy.

— J'ai l'impression de jouer avec une raquette de badminton. D'autant plus que le manche est beaucoup trop petit.

— Ça permet de mieux contrôler la balle. Quelle est la raquette que vous préférez ?

— La Wilson, dit l'Auteur. J'aime beaucoup la Wilson médium.

— Ah bon.

— Pourquoi dites-vous ça *sur ce ton-là* ?

— Écoutez, dit poliment Teddy, si j'ai utilisé un ton particulier c'est bien malgré moi. Voulez-vous qu'on remette cette discussion à plus tard ?

— De toute façon, les bons joueurs ont des raquettes en métal ou en fibre de verre et ça fait longtemps que les raquettes en bois son démodées, conclut l'Auteur.

S'abstenant de répliquer, le traducteur prit dans son sac deux bandes anti-transpiration ; il en passa une autour de son poignet droit et offrit l'autre à son adversaire, mais celui-ci refusa :

— J'ai pas mal aux poignets. On commence ?

Teddy se dirigea vers la ligne de fond. Il n'était pas rendu à sa place quand une balle lui frôla la tête. L'Auteur, qui était posté en plein milieu du court, s'excusa :

— Oh ! pardon, dit-il, je pensais que vous étiez prêt.

— Vous auriez pu attraper mes lunettes ! dit Teddy.

— J'ai pas fait exprès.

Il frappa les deux autres balles directement dans la clôture, par-dessus la tête du traducteur. Teddy ramassa les trois balles sans dire un mot ; il envoya une balle lente en direction de son adversaire, et, ce dernier, en essayant de la retourner, passa dans le vide.

— Est-ce que je peux vous suggérer de reculer un peu ? dit Teddy.

Au lieu de répondre, l'Auteur lui fit signe d'envoyer une deuxième balle et, cette fois, il l'effleura avec le cadre de sa raquette ; la balle ricocha très haut dans les airs, franchit la clôture derrière lui et disparut dans le bois.

— Avez-vous vu où elle est tombée ? s'inquiéta Teddy.

— Non.

— Attendez, je vais aller voir.

Il sortit du court et se mit à chercher la balle, mais le bois était très touffu et la végétation au sol était trop dense. Au bout de dix minutes, il abandonna ses recherches.

Revenant sur le court, il prit une boîte neuve dans son sac, l'ouvrit et respira l'odeur âcre qu'il aimait.

— Donnez-moi la balle qui est derrière vous, dit-il à l'Auteur.

— Pourquoi ? C'est beaucoup plus agréable de jouer avec cinq balles, non ?

— S'il vous plaît, insista Teddy.

— Vous êtes de mauvaise humeur parce que j'ai perdu une balle ?

— Je ne suis pas de mauvaise humeur. J'aime mieux ne pas mélanger les balles usagées avec les balles neuves parce qu'elles n'ont pas exactement le même poids.

— Et moi, j'aime mieux en avoir cinq parce que ça m'écœure de passer mon temps à courir après les balles.

Teddy regarda l'heure qu'il était à la montre qu'il avait mise dans le sac de tennis.

— Comme vous voudrez, dit-il en reprenant sa place sur le court.

L'Auteur décida de se poster derrière la ligne de fond. De cet endroit, il réussit à frapper quelques balles malgré des erreurs de technique fort évidentes aux yeux de Teddy : il négligeait de plier les genoux, ne tournait pas ses épaules et claquait la balle de toutes ses forces en donnant un coup de poignet au dernier moment. Le traducteur retournait toutes les balles en un mouvement très coulé qu'il prolongeait en poussant sa raquette loin devant lui.

— Jouez-vous toujours en *slow motion* ? lui demanda l'Auteur.

Teddy se contenta de sourire.

Après avoir expédié plusieurs balles de suite dans le filet, l'Auteur s'emporta.

— Quelle sorte de nerfs avez-vous mis dans cette raquette-là ? cria-t-il. On dirait que les balles restent collées ! En tout cas, je vise au-dessus du filet et mes balles vont se ramasser beaucoup plus bas !

— C'est du Victor Impérial, répondit Teddy avec une nuance de respect dans la voix.

— À votre place, je ferais mettre un bon fond en nylon !

— Vous aimez mieux le nylon ?

Le traducteur avait posé cette question sur un ton neutre, mais il avait appuyé un tout petit peu, malgré lui, sur le dernier mot. L'Auteur s'avança vers le filet. Il avait un drôle de sourire.

— Il y a un autre détail qui m'agace, dit-il en baissant le ton.

— Quoi ?

— Le filet est trop haut.

— Mais je l'ai mesuré quand je...

L'Auteur le regardait froidement.

— Bon, je vais le mesurer une autre fois, dit Teddy en mettant sa raquette debout contre le filet.

Il demanda à l'Auteur de placer la deuxième Maxply horizontalement sur la sienne pour voir si la bande du filet arrivait à la même hauteur que le rebord de la raquette.

L'Auteur refusa :

— Pas nécessaire de mesurer. Il est trop haut, ça se voit au premier coup d'œil.

— Alors ajustez-le à votre goût, proposa Teddy.

— Merci.

Il avait toujours son curieux sourire.

— Vous voulez que je le fasse ?

— Bien sûr.

L'Auteur mit ses deux mains sur la bande du filet et il appuya de tout son poids : le fil de fer céda d'un coup et le filet s'affaissa sur le court, et il n'y eut pas de match ce jour-là.

25

UN CHEVALIER SOLITAIRE

Quand le premier *pît-ouît-ouît* parvint à ses oreilles, Marie n'y prêta aucune attention car elle était trop absorbée dans sa lecture ralentie.

Mais un second cri, plus strident, lui fit lever la tête : ce n'était pas du tout une maubèche branle-queue, et c'était peut-être quelque chose qu'elle n'avait encore jamais vu, excepté dans son Peterson ; c'était peut-être, avec de la chance, un chevalier solitaire !

De l'endroit où elle était assise, un livre sur les genoux, le dos calé contre une grosse roche, au fond de la baie qui se trouvait en face de la Maison du Nord, il lui était impossible d'identifier avec précision l'oiseau à longues pattes qui fouillait dans la vase à l'autre bout de la batture. Elle se leva et s'approcha sans faire de bruit en se tenant à l'abri d'une ligne de rochers qui, traversant la grève en diagonale, allait se perdre dans le fleuve.

Tout à coup, elle entendit des pas derrière elle, et, en se retournant, elle vit que c'était l'Auteur.

— Chut ! fit-elle.

L'oiseau s'était envolé, mais il passa au-dessus d'eux en zigzaguant. Elle eut le temps de voir qu'il avait les pattes vertes.

— Vous ne l'aviez pas vu ? demanda-t-elle.

— Quoi ? fit l'Auteur.

— L'oiseau, dit-elle. Vous lui avez fait peur.

— Et alors ?

— C'est un chevalier solitaire !

L'Auteur haussa les épaules.

— J'étais assis bien tranquille et vous avez failli marcher sur moi, protesta-t-il. Alors je vous ai suivie...

— Qu'est-ce que vous faisiez là ?

— Je réfléchissais à mon livre... Il n'y a pas moyen d'être tranquille dans ma chambre : la bonne femme qui s'appelle Tête Heureuse passe son temps à me déranger, et aussitôt que je descends l'escalier, c'est le chihuahua qui se met à courir après moi. Je ne sais pas pourquoi, mais il m'en veut à mort. Alors je m'installe sur la grève pour réfléchir en paix, mais non, je viens près de me faire écraser les pieds par une maniaque des oiseaux. Et quand je lui demande ce qui se passe, elle dit : « C'est un chevalier solitaire ! », comme une petite fille qui dirait : « C'est Marlon Brando ! »

— Excusez-moi, dit-elle. J'étais énervée parce que c'est un oiseau qu'on ne voit pas souvent par ici, et comme je n'avais pas mes jumelles...

— Les oiseaux ne m'intéressent pas, dit-il sèchement.

— Qu'est-ce qui vous intéresse ? demanda-t-elle sur le même ton.

Il l'examina des pieds à la tête, en détail et sans aucune gêne.

Elle n'avait sur elle que son t-shirt blanc et ses jeans coupés à mi-cuisse. Elle le regarda de la même façon que lui, poursuivant son examen jusqu'à ce qu'il eût terminé le sien.

— Hum ! fit-il, un peu déconcerté.

Il alluma sa pipe et s'assit sur une roche. Il tira quelques bouffées en contemplant l'île aux Ruaux qu'un léger brouillard, traînant au ras du fleuve, rendait plus lointaine, puis, quand il vit que Marie s'en allait :

— Vous n'êtes pas mal du tout, même si vous avez l'air d'un garçon manqué, dit-il. Je peux vous poser une question ?

— Vous voulez savoir ce que je fais dans l'île Madame, c'est ça ?

— Oui.

— C'est un bon coin pour lire. Enfin, ça l'était au début et on était bien, mais il commence à y avoir trop de monde pour mon goût... Et vous ?

— Moi ? Quand le *boss* m'en a parlé, il m'a dit que c'était comme le paradis terrestre ou à peu près et qu'il n'y avait pas de meilleur endroit pour écrire un livre.

Il cracha sur la grève.

— Finalement c'est tout petit, continua-t-il. Si on tient compte du fait que l'intérieur de l'île est presque aussi impénétrable que la jungle de l'Amazonie, on peut dire que c'est grand comme ma main ! Et il n'y a même pas de bateau !

— Alors pourquoi restez-vous ?

— Et vous ? répliqua-t-il. Ah oui, c'est à cause du vieux... excusez-moi, c'est à cause du traducteur. Et pourtant vous ne restez pas ensemble... Êtes-vous amoureuse de lui ?

— Ça ne vous regarde pas.

— C'est vrai, vous ne m'aimez pas beaucoup, mais...

Marie s'éloignait en contournant les flaques d'eau. Il la rattrapa et la saisit par le poignet.

— Vous allez m'écouter ! ordonna-t-il rageusement.

Il l'obligea à se retourner, puis il s'adoucit et lâcha son poignet.

— Je vous ai fait mal ?

— Un peu, dit Marie.

— Vous ne m'aimez pas beaucoup, reprit-il, mais quand j'aurai écrit mon livre, je suis certain que vous allez me voir d'une autre façon. Et pas seulement vous, les autres aussi.

Marie le regarda avec curiosité :

— Comme ça, quand on écrit un livre, c'est parce qu'on veut que les gens nous aiment ?

L'Auteur ne répondit pas à cette question. Il regardait fixement la fille et il avait l'air de chercher quelque chose au fond de ses yeux noirs. Ensuite, d'une voix qui avait perdu toute agressivité :

— L'écriture c'est une drôle d'histoire, dit-il. Je peux vous en parler si vous n'êtes pas dans le feu.

— Je ne suis pas dans le feu, répondit-elle en souriant de cette expression.

26

LE COFFRE AU TRÉSOR

— Alors il m'a raconté l'histoire de l'écriture, dit Marie.

Elle tendit la main à Teddy parce qu'il était myope et ils sortirent de l'eau en prenant garde aux roches pointues qui étaient submergées par la marée haute.

Il faisait clair de Lune.

— Je vais te la raconter si tu m'invites, dit-elle.

— Je t'invite.

Il retrouva sa montre et ses lunettes dans le soulier où il les avait mises. Ensuite il se frotta vigoureusement avec une grande serviette de plage.

— J'ai toujours froid quand je sors de l'eau, dit-il. Tu ne gèles pas ?

— Non.

Elle le regardait.

— Je suis trop maigre, dit-il.

— Je te trouve beau.

— C'est probablement à cause du clair de Lune, plaisanta-t-il.

— Non, tu es beau.

Elle prit tous les vêtements et les garda sous son bras.

— On reste comme ça, décida-t-elle. T'en viens-tu ?

— Laisse-moi au moins mes vieilles savates !

Elle lui laissa ses chaussures et ils revinrent à la Maison du Sud en pressant le pas. Ils aperçurent une boule blanche sur le seuil de la porte et ils virent briller les yeux de Matousalem (un œil brun et l'autre bleu), mais le vieux chat prit peur et s'enfuit.

Dans la maison, ils allumèrent la lampe à gaz, se lavèrent rapidement les pieds dans l'évier de la cuisine et se couchèrent dans le lit du bas en prenant avec eux la chatte et la grosse boîte de biscuits Dare à la farine d'avoine.

Moustache renifla les biscuits et, se roulant en boule au fond du lit, elle se mit à ronronner.

— Et alors, cette histoire ? demanda Teddy.

— Ça s'en vient, dit-elle. As-tu encore froid ?

— Non... Un autre biscuit, s'il te plaît.

— Ça fait au moins dix que tu manges.

— Seulement huit, rectifia-t-il.

Elle lui donna deux biscuits au lieu d'un.

— As-tu fini tes traductions ?

— Il reste la... révision, mais je vais... la faire demain matin, dit-il la bouche pleine.

— De bonne heure ?

— Six heures, au cas où le patron arriverait plus tôt que prévu. Mais reste avec moi quand même si tu veux.

— D'accord, dit-elle. Ça fait longtemps...

— Tu peux rester toute la nuit.

— Merci. Je m'ennuyais de toi.

Elle mit les bras autour de son cou.

— Dis-moi une chose : est-ce que j'ai vraiment l'air d'un garçon manqué ?

— Non, dit-il, mais...

— Mais ?

— Tu as des épaules de nageuse et je t'aime bien comme ça.

— Ça vient de ma mère, dit-elle. Ma mère était une nageuse de longue distance, et traverser le fleuve pour elle c'était rien du tout : elle était capable de le faire aller-retour.

— Et toi, tu pourrais le faire ?

— Je pourrais me rendre à l'île d'Orléans si je voulais.

Elle soupira.

— Qu'est-ce qu'il y a ? demanda Teddy.

— Rien. Il y a des graines de biscuits dans le lit.

Il se souleva sur les coudes et sur les genoux pendant qu'elle balayait les graines avec sa main. Ensuite elle parla un peu de ses parents qui étaient séparés et qu'elle n'avait pas vus depuis longtemps. Et Teddy évoqua le souvenir de son frère Théo qu'il n'avait pas vu depuis longtemps lui non plus. Puis ils parlèrent du patron qui voulait que tout le monde soit heureux, de l'Auteur qui se faisait poursuivre par Candy, de Tête Heureuse qui cherchait à consoler le professeur Mocassin ; ils parlèrent aussi de Matousalem qui était toujours aussi farouche et sauvage, et de Moustache qui avait l'air d'attendre des petits, et lorsqu'ils eurent parlé de tous les habitants de l'île, qui étaient de plus en plus nombreux, et des gens et des animaux qu'ils aimaient, ils se retrouvèrent l'un en face de l'autre, les pieds et les genoux emmêlés, et ils ne dirent plus rien pendant un bout de temps, tout occupés au plaisir d'être ensemble dans la même chaleur avec la chatte qui sommeillait depuis longtemps au fond du lit.

— Es-tu prêt pour l'histoire de l'écriture ? demanda Marie.

— Tu peux y aller, dit-il.

— C'est un homme qui marche sur la grève, commença-t-elle. Il a la tête vide et il ne sait pas du tout où il va. Il est tout seul. Tout à coup, il s'accroche les pieds dans quelque chose. Il continue son chemin, puis une envie lui prend d'aller voir qu'est-ce que c'était. Il revient sur ses pas. Il donne un coup de pied sur cette chose qui est presque complètement ensevelie dans le sable, et ça ne bouge pas. Ça n'a pas l'air d'une roche ni d'un morceau de bois. Il se met à genoux et il essaie de la soulever, mais ses doigts n'ont pas de prise. Alors il se colle le nez dessus : ça sent drôle, une odeur animale, ça sent le cuir... Intrigué, il enlève du sable et des roches avec ses mains, et il trouve que l'objet ressemble à une valise qui serait posée à plat et un coin en l'air. Il enlève encore du sable. Il découvre une poignée, des ferrures, des sangles, une autre poignée et là il commence à s'énerver parce que ce n'est pas du tout une valise, mais un vrai coffre qui est couché sur le côté, un coffre en cuir avec un couvercle bombé et il semble être très vieux parce qu'il est à moitié pourri par l'eau. Pour creuser plus vite, il prend une roche pointue. Il se dépêche parce que la marée monte, il travaille nerveusement et des images se mettent à miroiter dans sa tête : des pièces d'or, des bagues serties de diamants, des vieux poignards et des dagues, des diadèmes, des colliers de pierres précieuses, des vieilles cartes de pirate, les images se bousculent et il creuse de plus en plus fiévreusement, tantôt avec la roche pointue, tantôt avec les mains. Enfin, le coffre au trésor est dégagé. Il saisit une poignée et, tirant de toutes ses forces, il parvient à le faire bouger puis à le sortir de son trou ; il le met à plat sur la grève et il le traîne vers les arbres pour qu'il soit à l'abri de la marée. C'est vraiment un très vieux coffre : le cuir est rongé par l'eau, les ferrures et les pentures sont couvertes de rouille ; il n'y a pas de cadenas mais une vieille serrure, rouillée elle aussi. Alors il se met à la recherche de quelque chose qui va lui permettre de forcer la serrure. Il cherche une tige de fer ou un clou de bateau, n'importe quoi, ou peut-être un clou comme ceux qui servent à fixer les dormants de chemin de fer, mais tout ce qu'il trouve c'est un piquet de clôture auquel est attaché un bout de broche. Il glisse la broche sous le fermoir et, en se servant du piquet comme levier, il donne un coup sec. La serrure cède sous le choc. À genoux par terre, il soulève anxieusement le couvercle ; le cœur battant, il regarde : tout ce qu'il aperçoit, au fond du coffre, c'est du linge moisi, des vieux vêtements de femme. Voilà, c'est tout. C'est l'histoire de l'écriture.

Elle se tut.

— Ça finit mal, dit Teddy.

— J'ai rien changé ou presque, dit-elle.

Ils restèrent un long moment sans parler, puis elle dit :

— Sais-tu quoi, je le trouve moins antipathique qu'avant.

— Qui ?

— L'Auteur, dit-elle. J'ai l'impression qu'il est désagréable uniquement parce qu'il manque de confiance en lui et qu'il veut se protéger.

— Tu es une grande psychologue, plaisanta Teddy.

— Là n'est pas la question n'est pas là, dit-elle en singeant le professeur Mocassin. Tu penses que je me trompe ?

Teddy l'embrassa dans le cou.

— J'ai eu la même impression quand j'ai joué au tennis avec lui.

— Qu'est-ce que tu dirais d'un chocolat chaud avec des toasts, ou bien des framboises avec de la crème douce ? demanda-t-elle.

— Merci, dit-il. J'ai mangé assez de biscuits et j'ai un peu de misère à digérer la salade du souper : il y avait trop de vinaigre. Toi, tu as encore faim ?

— Non, pas vraiment. C'était juste un caprice.

— Et si je te faisais un lunch et que je te l'apportais au lit ? proposa-t-il.

— Non merci, dit-elle. C'est très gentil d'y avoir pensé. Et puis je suis trop bien avec toi et avec Moustache.

— As-tu envie de faire l'amour avec ton vieux chum ?

— Non, à moins que mon vieux chum en ait envie.

— Pas maintenant, dit-il. J'ai envie de rien.

— Moi non plus, dit-elle.

Ils s'endormirent peu après.

Au cours de la nuit, ils se réveillèrent quand le vieux Matousalem voulut entrer et ils firent ce dont ils n'avaient pas eu envie quelques heures plus tôt. Marie quitta la Maison du Sud au petit matin, après avoir préparé le café et nourri les chats, et elle rencontra Tête Heureuse sur le chemin du retour. Tête Heureuse n'avait pas coutume de se lever d'aussi bonne heure, mais elle avait été réveillée par le téléscripteur et, ne pouvant plus dormir, elle apportait le message à Teddy. Le message, qui annonçait l'arrivée d'un homme, se présentait cette fois sous la forme d'une fiche signalétique, laquelle n'avait été remplie qu'à moitié et contenait les maigres renseignements qui suivent :

FICHE SIGNALÉTIQUE

Nom :
Âge :
Occupation :
Taille :   1,72 m
Poids :   72,5 kg
Cheveux :   bruns
Yeux :   bleus
Caractère :
Aptitude :   sens pratique

27

UN HOMME ORDINAIRE

C'était le premier samedi du mois d'août, et la visite du patron coïncidait avec la période des grandes marées qui, chaque mois, à la pleine Lune, amenaient sur le rivage de l'île toutes sortes de débris et de déchets.

Le Jet Ranger fit le tour de l'île à basse altitude. Les insulaires, réunis devant la Maison du Nord, aperçurent dans le cockpit, à côté du patron, la silhouette de l'homme dont la venue avait été annoncée par téléscripteur. Tête Heureuse le salua en agitant la main. Pour la circonstance, elle avait revêtu sa longue jupe, sa veste bordée de plumes d'autruche et son chapeau vagabond, et elle avait préparé sa valise, mais puisqu'elle faisait la même chose tous les samedis, le traducteur et Marie savaient bien qu'elle n'avait plus l'intention de quitter l'île Madame.

Le visiteur descendit le premier de l'hélicoptère et déchargea les bagages que le patron lui tendait. C'était un homme de taille moyenne, les cheveux bruns et courts ; il portait, flottant au-dessus d'un pantalon beige, une chemise sur laquelle on voyait, entre deux palmiers, un soleil orange qui se reflétait dans l'océan.

Dès que le sifflement du rotor eut cessé, le patron,

fort satisfait de voir que tout le monde était là, commença les présentations en se tournant vers son compagnon.

— Comment dois-je vous présenter, mon bon ami ?

— Comme un homme ordinaire, répondit le nouveau venu, légèrement mal à l'aise.

Pour le tirer d'embarras, Teddy s'avança et lui tendit la main gauche.

— Soyez le bienvenu, dit-il.

— Aloha, dit Marie qui regardait fixement le paysage hawaïen.

— Avez-vous fait bon voyage ? demanda Tête Heureuse.

— Salut, dit l'Auteur.

— Enchanté, dit l'Homme Ordinaire en serrant les mains qui s'offraient à lui.

— Dites-moi, cher collègue, s'informa le professeur Mocassin, est-ce que le Soleil se lève ou bien s'il se couche ?

Le visiteur parut interloqué :

— Mais, il est onze heures et...

— Onze heures et demie, enchaîna le patron pour sauver la situation, ça va bientôt être l'heure de manger et les bagages ne sont même pas rentrés !

Tandis que l'Homme Ordinaire s'affairait à transporter les valises et les sacs d'épicerie dans la maison, le patron prit Teddy par le bras et l'entraîna vers la grève. Son crâne chauve était abrité des ardeurs du soleil par un casque colonial auquel étaient assortis une tunique kaki et des shorts de la même couleur.

— Vous auriez préféré que je vous en parle avant ? demanda-t-il.

— Quoi donc ? fit Teddy.

— L'Homme Ordinaire, dit-il. C'est une idée qui m'est venue au cours de la semaine. Voyez-vous, j'étais assis dans mon bureau et je pensais...

Il s'interrompit et, comme il faisait souvent, il demanda à Teddy de ramasser une bille de bois qui était à moitié ensevelie dans le sable et de la transporter jusqu'à l'orée du bois.

— Le prix du papier journal n'arrête pas de monter... Ça me fait mal au cœur de voir pourrir des pitounes sur la grève, expliqua-t-il en reprenant sa promenade.

— Hier soir, elle n'était pas là, dit Teddy. Elle est probablement arrivée avec la grande marée de ce matin.

— Bon. Qu'est-ce que je disais ?

— Vous étiez assis dans votre bureau et vous pensiez.

— Ah oui... Je pensais à vous. Je vous voyais en train de travailler dans la petite maison et, c'est curieux, mais j'ai eu tout à coup l'impression que vous étiez menacé.

— Menacé par qui ou par quoi ? demanda le traducteur.

Le patron haussa les épaules.

— Voyez-vous, dit-il, je me sentais bizarre, j'avais le cœur un peu serré. Ça m'arrive de temps en temps et, chaque fois, je sais qu'un de mes amis est en danger. Une sorte de pressentiment... Alors j'ai appelé ma femme pour lui demander si quelque chose allait mal dans l'île. Je me fie à elle pour ces choses-là, parce qu'elle a beaucoup d'intuition et qu'elle est très chaleureuse.

— C'est vrai, admit Teddy qui avait gardé un excellent souvenir des séances de massage.

— Qu'est-ce qui vous fait sourire ?

— Faites pas attention : je suis un peu fatigué.

— C'est justement ce que ma femme m'a dit quand je l'ai appelée, continua le patron. Elle m'a parlé aussi de vos démêlés avec l'Auteur et des conditions dans lesquelles vous étiez obligé de travailler. Et, subitement, j'ai eu l'idée d'amener ici, dans l'île, cet homme que vous venez de rencontrer. Quelle heure est-il ?

Teddy consulta sa montre.

— Midi moins cinq, dit-il.

— Le dîner doit être prêt.

Ils firent demi-tour et le patron allongea le pas malgré la chaleur.

— C'est un de mes employés, reprit-il, et je le considère comme un spécialiste dans tout ce qui concerne l'organisation matérielle. Il a un sens pratique assez exceptionnel. Partout où il passe, il met de l'ordre et c'est probablement la seule chose qui manquait dans l'île. Pour travailler, il faut avoir la paix, et pour avoir la paix, il faut de l'ordre : je me demande pourquoi je n'y ai pas pensé plus tôt.

Quand ils arrivèrent à la Maison du Nord, les bagages avaient été rentrés, les provisions rangées ; la table était mise et le repas était prêt ; tout le monde était présent ; le chihuahua se tenait tranquille ; tous ceux qui devaient décider s'ils allaient rester ou non dans l'île avaient pris leur décision : ils restaient.

— Vous voyez ce que je veux dire ? glissa le patron à l'oreille du traducteur.

28

LA MACHINE À BOULES

Le dîner ne fut pas aussi mouvementé que d'habitude, en raison surtout de l'abattement dans lequel le professeur Mocassin était encore plongé, trois semaines après l'affaire de la bande de Rudolph Dirks.

Le patron s'était pourtant donné beaucoup de mal ; il avait apporté de Montréal un assortiment de vins, de fromages et de liqueurs fines, et des cadeaux pour tout le monde : un nouveau dictionnaire des difficultés orthographiques pour Teddy, le dernier roman de Richard Brautigan pour Marie, un bikini bleu ciel pour Tête Heureuse, un sous-main en cuir de vache pour l'Auteur, le *Manuel complet du bricolage* pour l'Homme Ordinaire, une caisse de Gaines Burgers et de Puss'n Boots pour le chien et les chats.

— Votre cadeau, dit-il au professeur, je l'ai gardé pour la...

Mocassin n'entendait pas. Il regardait distraitement le verre de bénédictine qui était devant lui. Tête Heureuse attira son attention en lui prenant doucement la main.

— J'ai gardé votre cadeau pour la fin parce qu'il est assez spécial, continua le patron.

— J'en suis navré ! dit le professeur en levant vers lui un visage qui exprimait la plus profonde affliction.

— Ne vous inquiétez pas, dit le patron aux autres convives, la solution se trouve dans cette boîte...

Il tira d'une poche de sa tunique un petit colis enrubanné, qui n'était pas plus gros qu'une boîte d'allumettes, et il le remit au professeur.

— Un cadeau pour moi ? s'étonna Mocassin.

— Mais oui, cher ami.

— Pourquoi ?

— Parce que vous êtes un homme important, dit le patron. Vous êtes un homme de science et les hommes de science sont très importants.

— Là n'est pas la question n'est pas là, répliqua le professeur.

Avec des gestes nerveux, il dénoua le ruban, retira le papier et, découvrant un écrin de velours, il l'ouvrit : sur un morceau de ouate, il y avait une petite bille de couleur gris fer.

Les autres s'approchèrent pour examiner la bille.

— C'est très joli, dit Tête Heureuse.

— Et ça sert à quoi ? demanda l'Homme Ordinaire.

Le patron fit un signe à sa femme et celle-ci entreprit de débarrasser Mocassin du vieil appareil Zénith qui était fixé à ses lunettes, et des batteries, à plat depuis une semaine, qu'il gardait enfouies dans la poche intérieure de son veston.

— Puis-je vous poser une question ? s'enquit le professeur.

— Oui, fit Tête Heureuse.

— Voici, chère Madame. Comment voulez-vous que j'entende si vous m'enlevez mon appareil ?

— Avec ça, professeur ! dit le patron en prenant la bille entre ses doigts. Il paraît que ça s'appelle une « bille auditive ». Elle fonctionne avec des transistors miniaturisés et, d'après ce que j'ai lu dans une revue, on la place tout simplement dans le conduit auditif de l'oreille. C'est la dernière invention : elle n'est pas encore sur le marché.

— Vous êtes sûr qu'il ne faut pas un spécialiste pour l'installer ? demanda prudemment Marie.

— C'est vrai, dit l'Homme Ordinaire, si on pousse la bille trop loin dans le tuyau de... dans le... conduit auditif, on peut avoir de la misère à la faire sortir de là, vous pensez pas ?

Il raconta qu'un jour, quand il était petit, en jouant avec un tire-pois fabriqué au moyen de deux épingles à linge, il avait, par accident, tiré un pois dans l'oreille de sa sœur ; son père avait été obligé d'emmener sa sœur à l'hôpital et de payer le spécialiste qui, en se servant d'une sorte de siphon, était parvenu à faire sortir le pois. Ce jour-là, il avait attrapé une bonne volée.

Pendant que l'Homme Ordinaire racontait ce souvenir, le patron examinait l'écrin de velours ; ayant trouvé sous le morceau de ouate un feuillet d'instructions plié en quatre, il le déplia, puis regarda au verso et il dit :

— C'est écrit en japonais.

— Comment savez-vous que c'est du japonais ? demanda l'Auteur. Ça pourrait être du chinois ou du vietnamien ou n'importe quelle langue asiatique, non ?

— J'ai fait venir l'appareil du Japon, expliqua le patron. Je suppose qu'ils ont fait une erreur au moment de l'expédition. Est-ce que quelqu'un peut lire le japonais ? s'informa-t-il par acquit de conscience.

— Le seul mot que je connais, c'est « *sayonara* », dit l'Homme Ordinaire.

Personne ne commenta cette affirmation. Le patron regarda le traducteur, mais celui-ci secoua négativement la tête.

Tout à coup, le professeur pointa un doigt vers le ciel :

— Un instant ! dit-il.

Il prit le feuillet des mains du patron et, après avoir soufflé dans ses lunettes, il s'accouda sur la table de la cuisine et s'absorba dans une étude approfondie du texte. Le silence se fit et, peu à peu, dans le cercle que les insulaires formaient autour du professeur, la tension monta comme s'ils étaient reliés les uns aux autres par un courant d'ondes électromagnétiques.

Le professeur releva la tête.

— C'est du japonais, déclara-t-il sur un ton péremptoire.

Un éclat de rire général déchargea l'atmosphère.

— Avec tout ça, le temps passe, dit le patron. Il faut faire un test.

Appuyant la bille auditive sur l'os temporal de Mocassin, il lui demanda s'il entendait quelque chose.

— J'entends très bien, dit le professeur. Pourquoi parlez-vous si fort ?

— Seize fois treize ? demanda sournoisement le patron.

— Euh...

— Huit fois douze ?

— Quatre-vingt-seize, répondit Mocassin.

— Ça marche ! dit le patron.

Après un bref examen de l'oreille du professeur, il annonça que le conduit auditif externe, bien que légèrement encombré, semblait être d'un diamètre normal ; sans plus attendre, il allait donc procéder à l'installation de l'appareil.

Il prit la bille entre le pouce et l'index et la plaça dans l'orifice du conduit, puis, comme il avait l'index boudiné, il se servit plutôt de son petit doigt pour engager l'appareil dans l'étroit passage.

— Comment ça va ? demanda-t-il au professeur avant d'aller plus loin.

Mocassin, qui avait fermé les yeux dès le début de l'opération, n'émit aucune réponse.

— Est-ce que vous m'entendez ? dit le patron en criant presque.

Pas de réponse.

Un échange de vues entre le patron et les spectateurs attentifs fit ressortir un fait dont tous reconnurent l'évidence : puisque la bille obstruait complètement le conduit et que, d'autre part, elle n'appuyait encore sur aucune partie osseuse mais bien sur des parties « molles », le professeur ne pouvait entendre aucun son.

Il fallait donc pousser la bille jusqu'à ce qu'elle atteignît le tympan où elle devait être mise en action par les vibrations de cette membrane.

Les insulaires observaient le visage du patron tandis qu'il poussait lentement la bille auditive avec son petit doigt. Subitement, ils virent ses sourcils se froncer et ses yeux s'arrondir ; en même temps, ils perçurent un son étrange qui ressemblait à un roulement mécanique.

Le patron retira son doigt.

Mocassin, les yeux clos, dodelinait de la tête.

Un instant plus tard, le bruit de roulement fut interrompu par un timbre clair, puis il reprit et fut ensuite coupé par un cliquetis, et, pendant une minute, tous ceux qui étaient là entendirent distinctement cette série de sons : roulement... timbre... roulement... cliquetis... roulement...

— C'est comme une machine à boules, murmura l'Homme Ordinaire qui exprimait ainsi l'avis unanime des spectateurs.

Le roulement mécanique s'éteignit sur un dernier cliquetis.

Dans le silence qui suivit, le professeur Mocassin se mit à vaciller sur sa chaise et il tomba de tout son long sur le sol.

Il était sans connaissance.

29

CONVERSATIONS PARTICULIÈRES

Le professeur Mocassin ne reprit ses sens qu'après le départ du patron.

Contre toute attente, il avait recouvré une ouïe normale, bien que, d'après les premières constatations, ce résultat eût été obtenu au détriment de son équilibre mental.

Mais c'est l'Homme Ordinaire qui fut le plus affecté par l'incident. Le fait d'avoir frôlé le drame accentua son sens des responsabilités. Il adopta une attitude ferme lorsque le moment fut venu de décider lequel des quatre habitants de la Maison du Nord devait lui céder sa chambre.

Pour vérifier si l'emploi du temps des insulaires les justifiait d'occuper une chambre, il fit en sorte d'avoir une conversation particulière avec chacun d'eux.

Il fut reçu froidement par l'Auteur.

— Qu'est-ce que vous voulez ? demanda celui-ci en entrebâillant la porte de sa chambre.

— Je viens voir si tout va bien.

— Tout va bien.

L'Homme Ordinaire lui adressa un sourire engageant :

— Vous êtes le premier écrivain que je rencontre, dit-il. Excusez-moi, mais je voulais savoir si vous aviez besoin de quelque chose.

— J'ai besoin d'avoir la paix, dit l'Auteur qui s'écarta cependant pour le laisser entrer.

Mine de rien, l'Homme Ordinaire nota l'odeur rance de la pièce, les affiches posées de travers sur les murs (l'une d'elles disait : « Je ne veux pas de règles dans une porcherie »), les bas de laine suspendus à la tête du lit, la table de travail encombrée par des boules de papier, une bouteille d'encre, une tablette à écrire, un revolver-jouet et une grande boîte bleue de blé soufflé Quaker.

— Alors ça avance, votre roman ? demanda-t-il en remarquant, sous le lit, un cœur de pomme qui avait échappé à son premier coup d'œil.

— Je travaille sur la première phrase, dit l'Auteur.

— La première phrase ?

— Elle contient encore une ou deux faiblesses, alors je la recommence tous les jours. Ça ne donne rien d'aller plus loin si la première phrase n'est pas parfaite.

— Et ça va parler de quoi, votre livre ?

— Comment voulez-vous que je le sache puisque je ne l'ai pas encore écrit ? s'impatienta l'Auteur.

L'Homme Ordinaire ne se laissa pas démonter.

— Je me demande comment vous allez faire pour l'écrire si vous ne savez pas de quoi vous avez l'intention de parler, fit-il remarquer avec bon sens.

— Qu'est-ce que vous connaissez au roman ? rétorqua vivement l'Auteur.

— Je connais au moins Guy des Chars...

L'Auteur lui montra la porte d'un index menaçant :

— Sortez ! cria-t-il.

Après cette conversation, l'Homme Ordinaire descendit à la cuisine où se trouvait Tête Heureuse. Elle était assise près de la fenêtre qui donnait sur le fleuve. Elle consultait un livre intitulé *La Cuisine raisonnée*, écrit par les Dames de la Congrégation.

— J'ai entendu des cris, dit-elle.

— Ne vous inquiétez-pas, madame, l'ordre... est rétabli, dit-il en cherchant ses mots. Est-ce que je pourrais avoir une petite Molson ?

— Prenez-en une dans le frigo... Qu'est-ce que vous diriez d'un gâteau des anges pour dimanche soir ?

— Je dirais que c'est une bonne idée.

Il déboucha la canette de bière et se jucha sur le comptoir de la cuisine. À cause de la chaleur, Tête Heureuse avait retroussé sa jupe sur ses jambes croisées. Elle la retroussa un peu plus haut.

— Deux étages ? trois étages ? demanda-t-elle.

— Pardon ? fit l'Homme Ordinaire.

— Le gâteau, dit-elle.

— Ah oui... Trois étages, s'il vous plaît.

Il but une gorgée de bière et dit :

— Finalement, vous avez décidé de rester dans l'île ?

— Je n'ai pas été capable de les laisser tout seuls, dit-elle. Au fond, ce sont tous des enfants et ils ne peuvent pas se passer d'une mère poule comme moi.

Posant le livre de cuisine sur l'appui de la fenêtre, elle se mit à regarder le fleuve.

— Je ne suis pas capable de me passer d'eux moi non plus, ajouta-t-elle en promenant ses longues mains sur ses genoux et sur l'intérieur de ses cuisses. Qu'est-ce que mon mari vous a dit au juste ?

— Que les gens n'étaient pas encore heureux dans l'île et qu'il fallait s'occuper de l'organisation matérielle et des choses comme ça, dit-il.

À cet instant, la conversation fut interrompue par le grincement de la porte-moustiquaire qui s'ouvrit devant le professeur Mocassin. Il avait l'air très affairé. Il tenait une pile de papiers sous le bras. Il fit un vague signe de la main à Tête Heureuse quand elle lui demanda s'il n'avait pas aperçu Candy, puis il s'engagea dans l'escalier qu'il grimpa avec une agilité surprenante pour un homme de son âge.

L'Homme Ordinaire le suivit jusque dans sa chambre.

— Avez-vous déjà lu un ouvrage intitulé *Les Sentiers humains* ? demanda abruptement le professeur en lui serrant la main comme à une vieille connaissance.

— Non, avoua l'Homme Ordinaire.

— Ça ne m'étonne pas, cher collègue.

L'Homme Ordinaire parut vexé :

— Et pourquoi ?

— Parce que je ne l'ai pas encore écrit ! répondit le professeur avec un petit rire malicieux. Mais ça ne va pas tarder, car le projet se précise de plus en plus comme vous allez voir... Voulez-vous enlever votre soulier ?

— Lequel ? Je veux dire, pour quelle raison ? bredouilla l'Homme Ordinaire.

— Je vous en prie, insista Mocassin.

Déchaussant son pied droit de mauvaise grâce, l'Homme Ordinaire tendit un soulier au professeur qui s'en servit comme d'un marteau pour fixer au mur, avec des punaises, une série de feuillets accolés les uns aux autres et numérotés de un à douze.

— Qu'en pensez-vous, cher collègue ?

— On dirait que c'est le sentier de l'île Madame avec le tennis au milieu.

— Exactement. Et ensuite ?

— C'est tout ce que je peux voir, dit l'Homme Ordinaire.

— Regardez bien..., dit le professeur.

Il promena lentement la pointe du soulier sur la ligne du sentier qui traversait les douze feuillets de part en part.

— Mon cher, nous sommes en présence d'un sentier remarquablement *sinueux* ! déclara-t-il en faisant porter son enthousiasme sur le dernier mot.

— Voyons donc ! fit l'Homme Ordinaire, il n'y a rien de remarquable là-dedans. Tous les sentiers sont sinueux et...

— Tut ! tut !... Vous vous trompez, dit le professeur. À la vérité, les sentiers animaux ne sont pas sinueux, tandis que les sentiers humains le sont toujours. À partir de cette constatation, la question qu'il faut se poser est la suivante : pourquoi les sentiers humains sont-ils sinueux ? Pour contourner les obstacles ?... On pourrait le croire, mais c'est absolument faux. Je viens tout juste de terminer une étude préliminaire du terrain et j'affirme sans hésiter que soixante-deux des soixante-quinze courbes du sentier, c'est-à-dire plus de quatre-vingt-deux pour cent, ne sont pas justifiées par le besoin d'éviter un obstacle.

Il s'assit à sa table de travail.

— À qui appartient ce soulier ? demanda-t-il.

— C'est à moi, dit l'Homme Ordinaire.

— La véritable cause, continua le professeur en fouillant dans ses paperasses, elle est quelque part dans les profondeurs de l'inconscient humain. Mais la question

144

est de savoir s'il s'agit de l'inconscient individuel ou de l'inconscient collectif, et je ne partirai pas d'ici avant d'avoir trouvé la réponse.

L'Homme Ordinaire prit possession de son soulier et quitta la pièce en s'efforçant de ne pas déranger le professeur qui poursuivait tout seul la conversation.

Avec Marie, qui logeait dans la « chambre des machines », la conversation fut brève.

L'Homme Ordinaire demanda :

— Qu'est-ce que vous faites ?

— Je lis, dit-elle.

— Oui, mais comme travail ?

— Je lis.

Elle leva les yeux de son livre et dit :

— Vous voulez ma chambre ?

— Pourquoi pensez-vous que je veux votre chambre ? dit-il.

— Parce que je lis, répondit-elle simplement.

L'Homme Ordinaire fit valoir que la « chambre des machines » offrait à ses yeux un intérêt spécial du fait qu'elle allait lui permettre de communiquer avec le patron si le besoin s'en faisait sentir, et Marie ne répondit pas et son silence marqua la fin de cette série de conversations particulières.

30

UN PROBLÈME DE TRADUCTION

Teddy s'éveilla en sursaut.

Il avait rêvé qu'il se trouvait à la prison d'Alcatraz avec son frère Théo, que toute la baie de San Francisco était couverte de brume et que son frère s'occupait des oiseaux et ressemblait à Burt Lancaster.

Six heures et demie.

Il mit ses lunettes et regarda dehors : la brume était là, comme dans son rêve. Il entendit une sirène de bateau. Assis sur le lit du bas, il mit ses jeans et un chandail en se servant de sa main gauche. Son jus d'orange était prêt, il y avait du feu dans le petit poêle à bois et le café était chaud.

Sur le lit du haut, le sac de couchage de Marie était vide. Depuis qu'elle avait cédé la « chambre des machines » à l'Homme Ordinaire et qu'elle vivait à la Maison du Sud avec le traducteur, elle se levait avant lui et, pour ne pas troubler sa tranquillité, elle le laissait tout seul.

Teddy plaça sa main droite au-dessus du poêle, et ses muscles, engourdis jusqu'au milieu de l'avant-bras, se réchauffèrent peu à peu.

Après avoir bu son jus d'orange, il mangea du gruau et des toasts, puis il débarrassa la table, alluma une cigarette et, comme d'habitude, il entreprit sa journée de travail en sirotant son café. Quand il butait sur une difficulté sérieuse : un jeu de mots, une expression en slang ou une allusion politique à laquelle il fallait donner une couleur locale, il se mettait à marcher de long en large dans l'unique pièce du chalet ; il prenait une vieille balle de tennis et, tout en marchant les mains dans le dos, il la pétrissait machinalement pour empêcher ses muscles de s'ankyloser. Mais, en général, les premières heures de la journée étaient celles où les mots lui venaient le plus facilement et il faisait du bon travail jusqu'aux alentours de neuf heures et demie.

Au moment de la pause café, Teddy entendit des coups de marteau et une voix qui chantait. Il reprit son travail en s'efforçant de ne pas se laisser distraire par le bruit. Et lorsque Marie revint à la maison vers onze heures et demie, il avait réussi à respecter son horaire de la journée.

Il dîna avec Marie.

— Le bruit ne t'a pas trop dérangé ? demanda-t-elle en s'asseyant à table.

— Presque pas, dit-il. Est-ce que les travaux avancent ?

— La charpente est terminée. Cet après-midi, on va faire les murs. L'Homme Ordinaire pense qu'on pourrait installer le papier noir et le bardeau d'asphalte demain matin.

— Je l'ai entendu chanter, dit-il.

— C'est plus fort que lui : il chante tout le temps. Mais il travaille bien et il est très habile de ses mains.

Elle le vit porter la main droite à sa bouche et souffler dessus. Elle dit :

— Excuse-moi d'avoir dit ça...

— Mais non, je ne pensais pas à ça, dit-il. Il y a un mot qui me trotte dans la tête et j'étais un peu distrait.

— Peut-être qu'on devrait faire venir un médecin dans l'île pour qu'il examine ta main, tu penses pas ?

Il réfléchit à la question, ensuite il se leva et, se penchant au-dessus de la table, il embrassa Marie sur la joue.

— À quatre heures, si je ne suis pas en retard sur mon horaire, dit-il, je vais jouer un bon match avec le Prince. Et je prendrai une décision en me basant sur le résultat. D'accord ?

— D'accord.

Elle se pencha à son tour et lui rendit son baiser.

— Je fais confiance au Prince, dit-elle.

— Il y avait beaucoup de brume ce matin, dit-il en changeant de sujet.

— Oui.

— Presque autant que le jour où tu es arrivée avec Moustache et ton sac de couchage. T'en souviens-tu ?

— Bien sûr.

— Tu es descendue par l'échelle de corde et tu avais l'air de penser que c'était la chose la plus naturelle au monde, dit-il en riant.

Il regarda sa montre et alla déposer sa vaisselle dans l'évier.

Elle murmura :

— On était bien dans l'île, tous les deux.

Mais il n'entendit pas ce qu'elle disait. Vers une heure moins quart, elle alla rejoindre l'Homme Ordinaire, et Teddy se remit au travail sans être allé dehors. Les deux chats étaient arrivés à la fin du repas et, maintenant, ils dormaient. Ils avaient l'habitude de dormir une bonne partie de l'après-midi. Teddy n'eut pas trop de mal à traduire *Mandrake* et *Mutt and Jeff*. Les difficultés commencèrent lorsqu'il s'attaqua à *Peanuts*; la première image était celle-ci :

« Toutes les conférences au monticule sont annulées jusqu'à nouvel ordre » fut la traduction qui s'imposa tout de suite à son esprit. Puis il éprouva un doute. Ce n'était rien de précis, mais une sorte d'intuition : il y avait une faute quelque part dans la phrase. Il relut la traduction et le doute persista, toujours aussi vague. Il fit les cent pas durant quelques minutes. Quand il revint jeter un coup d'œil à la phrase, il n'était pas plus avancé ; il ne savait même pas où se trouvait la difficulté.

Depuis que le soleil avait percé la brume, une chaleur humide régnait dans la pièce, mais Teddy ferma la porte et les fenêtres pour ne pas être dérangé par les chansons de l'Homme Ordinaire, puis il relut la phrase en s'arrêtant à chaque mot.

« Conférence au monticule » lui parut une expression correcte puisqu'elle était alignée sur « conférence au sommet » et que l'analogie entre les deux situations était évidente.

« Jusqu'à nouvel ordre » pouvait être remplacé par « jusqu'à nouvel avis », qui était moins péremptoire, mais le choix de la première traduction était dicté par l'air résolu que le visage de Charlie Brown, dans l'image suivante, montrait sans équivoque :

La difficulté ne pouvait donc venir que du mot « annulées ». Il consulta le *Petit Robert* et le *Littré*, fit l'essai de plusieurs synonymes en les insérant dans la phrase, poussa ses recherches jusqu'à l'étude attentive des antonymes : il fut incapable de trouver en quoi ce mot était fautif. Il était trois heures vingt, le mot tournait dans sa tête et il savait par expérience qu'il ne pourrait pas s'en défaire et que la seule solution était d'attendre sans s'énerver. Accablé par la chaleur, il enleva ses vêtements, mit une paire de shorts et il était à se laver la figure à l'eau froide quand Tête Heureuse entra sans frapper.

— J'ai pas fait de bruit pour ne pas vous déranger, dit-elle. Avez-vous de l'huile à mouches ?

— Pardon, fit-il.

— De l'*huile à mouches* ! Il y a beaucoup de maringouins à cause de l'humidité et mon flacon est vide. En avez-vous dans la pharmacie ?

— Ah oui... Excusez-moi.

Il alla lui chercher le flacon. Elle portait le bikini bleu ciel que le patron lui avait donné en cadeau. Ses cheveux nattés derrière la tête formaient un gros chignon.

— Et si on allait se baigner ? proposa-t-elle.

— Ça me plairait beaucoup, dit-il, mais j'ai pas fini mes traductions. Il y a un mot qui m'empêche d'aller plus loin.

— Montrez-moi ça, pour voir...

Il s'assit à sa table de travail et elle se pencha au-dessus de son épaule tandis qu'il lui montrait le texte anglais en pointant du doigt le mot « *canceled* ».

— Vous ne pouvez pas dire que les conférences sont « cancellées » ? demanda-t-elle.

— C'est un terme juridique qui, dans ce cas, deviendrait un anglicisme, dit-il en s'efforçant d'être précis. C'est plutôt le verbe « annuler » qui conviendrait.

— Alors pourquoi ne pas dire qu'elles sont « annulées » ?

— Parce que... on annule un rendez-vous, un engagement, une chose décidée à l'avance. Et, justement, les conférences au monticule ne sont jamais décidées à l'avance. Elles ne sont pas prévues. Tiens, mais c'est l'explication que je cherchais !

— Tant mieux ! dit-elle avec chaleur.

— Je pense que j'ai la solution. Il suffirait de dire :
« Aucune conférence au monticule jusqu'à nouvel
ordre ». Je ne sais pas comment vous remercier, madame.

Tête Heureuse s'assit sur ses genoux en lui présentant son dos :

— Mettez-moi de l'huile à mouches, dit-elle.

Elle détacha le cordon qui retenait le haut de son bikini
et elle laissa négligemment tomber cette pièce de vêtement sur le plancher de la cuisine.

— Parfois les solutions sont tellement simples qu'on
ne les voit pas, fit-il observer.

— Vous pouvez le dire ! soupira-t-elle.

31

LA CHANSON RATÉE

— J'ai le cafard, dit Marie.

Teddy était allongé sur son lit, mais il ne dormait pas. Il avait travaillé tard et la fatigue l'avait empêché de trouver le sommeil. Il se leva, mit ses vêtements dans le noir, chercha la boîte d'allumettes et alluma la lampe à gaz.

— Ça m'a pris d'un coup, dit Marie. Je ne sais pas pourquoi... Juste au moment où j'allais m'endormir.

— Voudrais-tu un chocolat chaud? demanda-t-il. Ou encore un gin dans une tasse d'eau chaude avec du miel?

— Je ne veux rien.

— Tu n'as pas froid?

Elle était assise sur le lit du haut et elle balançait ses jambes dans le vide. Elle était nue. Elle ne répondit pas, alors il grimpa sur le lit et s'installa près d'elle.

— J'ai froid, dit-elle au bout d'un moment.

Il descendit à terre, prit la couverture de laine qui était sur le pied de son lit et remonta auprès d'elle. Il lui mit la couverture autour des épaules. Elle avait l'air sombre et les yeux brillants comme ceux des chats. Après un moment de silence, elle dit :

— Je voudrais une ponce au gin avec une cuillerée de miel.

— Et un peu de citron?

Elle fit signe que oui.

— Ça va te faire du bien, dit-il.

Il redescendit à terre et alluma le poêle. Pendant que l'eau chauffait, il versa du lait aux chats qui s'étaient réveillés, puis il prépara le gin dans une tasse de fer-blanc. Ensuite il remonta sur le lit du haut en faisant attention de ne pas renverser la tasse.

— C'est chaud, dit-elle après avoir bu une gorgée.

— Je vais ajouter un peu d'eau froide, dit-il en se préparant à redescendre.

— Pas nécessaire.

Elle continua de boire à petites gorgées.

— Je me sens... comme si j'étais toute petite, dit-elle. J'ai un cafard gros comme l'île Madame et je voudrais que tu dormes avec moi.

— Bien sûr.

— Et je voudrais que tu me chantes une chanson pour m'endormir.

— Je vais essayer, dit-il.

Lorsqu'elle eut vidé sa tasse de gin, ils s'allongèrent dans le sac de couchage. Teddy s'étendit sur le dos. Il toussa plusieurs fois, ferma les yeux et prit une grande respiration. Il essaya de chanter, mais aucun son ne sortit de sa gorge. Il fit un deuxième essai et, cette fois, il produisit un son voilé qui resta un moment accroché dans sa gorge et se libéra tout à coup en s'étalant sur deux tons. Alors il se mit à rire nerveusement. Marie partit à rire avec lui ; elle riait et pleurait et les larmes coulaient sur ses joues. Ils cessèrent de rire au même moment.

— Ça va mieux maintenant, dit-elle. C'est curieux : j'avais le cafard et, pourtant, c'est toi qui as eu des ennuis, comprends-tu ça ?

154

— Quels ennuis ? demanda-t-il.

— Ton match avec le Prince.

Il se remit à rire, tout seul, et il eut du mal à reprendre son calme. Le match avait été un désastre : même en jouant à deux mains, il avait été incapable de retourner les balles du Prince ; il avait perdu la maîtrise de tous ses coups, y compris de son coup droit. Il n'avait pas envie d'en parler. Alors ils parlèrent de la cabane en rondins que l'Homme Ordinaire construisait en se servant des arbres qui étaient tombés dans le bois et des billots que la marée apportait sur la grève. La cabane était presque terminée et Marie allait bientôt s'y installer.

— Je commence à m'endormir, dit-elle.

— Faudrait que je me lève pour éteindre la lampe, dit Teddy.

Il se redressa sur un coude pour regarder la lampe : elle était pratiquement éteinte et il décida de la laisser brûler jusqu'à la fin. Marie lui demanda quelle était la chanson qu'il avait essayé de chanter. Il dit que c'était *Éden Blues*, une vieille chanson d'Édith Piaf. Les paroles et la musique étaient de Moustaki. Il se rappelait seulement les premiers mots :

> *En descendant le fleuve d'argent*
> *Qui roule jusqu' au Nevada*
> *On voit la plaine qui s'étend*
> *À l'est de Santa Lucia*

Il dit que l'air était très beau.

— Ah oui, c'est une belle chanson, dit Marie.

32

LE PETIT POT DE MOCASSIN

Depuis que l'Homme Ordinaire était arrivé dans l'île, le repas du soir se prenait à heure fixe ; les bâtiments et le court de tennis étaient soigneusement entretenus ; la grève était nettoyée tous les jours et chacun des insulaires devait accomplir sa part des travaux domestiques en plus de se consacrer à l'occupation qui donnait un sens à sa vie.

Un certain nombre de conventions avaient été établies. L'une d'elles voulait que les mots « Oyez ! Oyez ! » fussent utilisés chaque fois qu'une personne désirait retenir l'attention générale.

— Oyez ! Oyez ! fit Tête Heureuse, un soir du mois d'août, au moment où les insulaires venaient de s'asseoir à la grande table de la Maison du Nord.

Le silence se fit instantanément.

— Le professeur, dit-elle. Il est absent encore une fois.

— Est-ce qu'il a été vu cet après-midi ? demanda l'Homme Ordinaire.

— Il a été vu par moi, déclara ironiquement l'Auteur.

— Le lieu et l'heure, s'il vous plaît ?

— Dans le sentier, du côté nord, vers cinq heures.

L'Homme Ordinaire demanda au traducteur s'il était

en mesure de confirmer l'exactitude de ces renseignements.

— Malheureusement non : je suis venu par la grève, dit Teddy.

— Moi aussi, dit Marie. Attendez un peu, je vais aller voir s'il est encore dans le sentier.

Tête Heureuse lui dit de ne pas se déranger.

— Il a probablement eu un malaise comme la dernière fois. Les troubles physiques c'est mon travail, alors c'est à moi d'y aller, dit-elle en quittant la maison avec Candy.

Lorsque le professeur se penchait vers le sol en vue d'étudier un détail du sentier, et que sa tête arrivait à un niveau inférieur au centre de gravité de son corps, il était sujet à différents malaises pouvant aller du simple étourdissement à la perte de connaissance. Ce jour-là, Tête Heureuse le trouva évanoui dans le sentier, non loin du court de tennis. Incapable de le ranimer, elle revint chercher les autres.

Ils desserrèrent sa cravate et le col de sa chemise et lui soulevèrent les pieds parce que son visage était exsangue, mais il ne reprit ses sens qu'au bout d'une longue demi-heure. Agenouillée à côté de lui, Tête Heureuse annonça qu'il disait quelque chose.

— Qu'est-ce qu'il dit ? demanda l'Homme Ordinaire.

— Chut ! fit-elle.

Elle mit son oreille tout près des lèvres du professeur.

— Il dit « *popo* », déclara-t-elle en se redressant.

— Hein ?

— *Popo*, reprit le professeur, assez distinctement cette fois pour être entendu de tous ceux qui se pressaient autour de lui. Ils échangèrent des regards consternés, chacun pouvant lire dans les yeux des autres que Mocassin était retombé en enfance et réclamait de toute urgence qu'on le mît sur son petit pot.

Cependant, le traducteur eut une idée. Il se rendit au pas de course à la Maison du Sud et rapporta un volume qu'il se mit à potasser. Il s'agissait d'une étude sur *Tarzan* dont les dernières pages contenaient un lexique qu'il avait eu l'occasion de consulter.

— Voilà, dit-il, c'est rien de grave : *« popo »* signifie « j'ai faim ».

— *Tand-popo*, dit le professeur dont la voix se raffermissait.

— « Je meurs de faim », traduisit Teddy. C'est en langue singe.

33

UN *CHECK UP*

Teddy eut la surprise de voir arriver le Jet Ranger un jeudi
– au lieu du samedi, ce qui était rare – à l'heure de la
pause café du matin. Quelques instants plus tard, le
patron frappait à la porte ; il était accompagné d'un
homme grisonnant qui portait une blouse blanche et
tenait à la main une trousse en cuir marron.

L'homme avait une voix très douce.

— Vous avez une carte d'assurance-maladie ?
demanda-t-il.

— Non, dit Teddy en fermant les dictionnaires étalés
sur la table.

— Tant pis, déshabillez-vous.

— Pourquoi ?

Le patron intervint :

— Inquiétez-vous pas pour rien, c'est un *check up*.
À l'âge que vous avez, on doit passer un *check up* de
temps en temps. Bon, je vous laisse : faut que j'aille voir
la cabane de Marie.

— Quel âge avez-vous ? demanda le médecin quand
le patron fut sorti.

— Trente-huit ans et sept mois, dit Teddy.

— Vous paraissez plus âgé... Maintenant, faites voir
vos mains.

Le traducteur lui tendit les deux mains. Le médecin les garda un moment dans les siennes puis, abandonnant la main gauche, il se mit à examiner la main droite avec une curiosité professionnelle. Il palpa l'intérieur et l'extérieur de la main, la frictionna et fit jouer les articulations des doigts, du poignet et du coude.

— Déshabillez-vous, répéta-t-il très doucement.

Pendant que Teddy quittait ses vêtements, le médecin sortit un carnet et un stylo de sa trousse et prit des notes. Ensuite il jeta un regard sur son patient en considérant d'abord l'ensemble plutôt que les parties, après quoi, partant du haut vers le bas, il s'attarda aux détails de son anatomie.

— Mettez-vous de côté, dit-il.

— De quel côté ?

— Celui que vous voudrez.

Puis il lui demanda de se placer de dos.

— Scoliose et cyphose, murmura-t-il et il esquissa sur le carnet les deux silhouettes qui suivent :

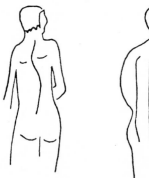

SCOLIOSE   CYPHOSE

— Pardon..., vous avez utilisé des mots que je n'ai pas saisis, dit Teddy.

— Ce n'était pas important, dit le médecin. Cependant, j'ai l'impression... avez-vous déjà subi des blessures au rachis ?

— Au quoi ?

— Au rachis.

— Un instant, dit Teddy.

Il ouvrit le *Petit Robert* et tomba presque immédiatement sur la bonne page.

— Vous êtes encore très habile malgré votre main, remarqua le médecin.

— Merci. Ah bon !... le rachis c'est la colonne vertébrale.

— Pas tout à fait : la colonne *moins* les vertèbres soudées.

— C'est pas ce que dit le *Petit Robert*, protesta faiblement le traducteur.

— Et alors, ces blessures ? fit le médecin sans tenir compte de cette protestation.

— J'ai eu une entorse lombaire, dit Teddy.

— Ah !... Pas d'hernie discale ?

— Non.

— Pas d'engourdissement dans les membres inférieurs ?

— Non.

— Tant mieux pour vous. À présent, vous allez vous allonger sur la table.

Teddy obéit. Le médecin lui glissa sous la tête, en guise d'oreiller, les deux premiers tomes du *Vocabulaire général* d'Hector Carbonneau. Pour vérifier la vigueur de ses muscles, il lui fit écarter puis serrer les jambes tandis qu'il tentait de les lui maintenir en place. Ensuite il lui souleva les pieds, l'un après l'autre, aussi haut qu'il put.

Il lui demanda de s'asseoir au bord de la table. Il éprouva ses réflexes en lui tapant sur les genoux et les chevilles avec un petit marteau. Il lui ausculta brièvement les poumons et le cœur avec un stéthoscope. Il mesura sa pression artérielle et prit sa température.

Il montra de l'index une cicatrice que le traducteur avait à l'abdomen :

— Vésicule biliaire ?

— Oui, dit Teddy.

— Appendicite ? demanda-t-il en indiquant une autre cicatrice qui se trouvait au bas-ventre, du côté droit, et qui avait une largeur inhabituelle.

— Oui.

— Et la plaie s'est rouverte ?

— Oui, dit Teddy.

— Voilà, c'est terminé, dit le médecin en souriant.

Il consigna des observations sur son carnet, puis il rangea ses instruments dans sa trousse.

— On a un bel été, dit-il.

Teddy garda le silence. Il attendait les résultats de l'examen.

— Votre dos n'est pas en mauvais état, déclara le médecin. Les douleurs viennent du fait que vos jarrets sont trop courts. Pour les allonger, je vais vous montrer deux exercices très simples.

Il fit une démonstration. Le premier exercice consistait à s'asseoir au bord d'une table ou par terre, une jambe allongée, et à se courber pour atteindre les genoux avec son front. Dans le second, il s'agissait de se placer en

162

face d'un mur et, les deux mains appuyées sur celui-ci, d'exercer une poussée avec une jambe puis avec l'autre.

Le patron rentra au moment où la démonstration prenait fin.

— Faites ça dix minutes par jour et vos douleurs vont disparaître à la longue, assura le médecin.

— Dans combien de jours ? demanda le patron.

— C'est plutôt une question de mois ou d'années.

— Et... pour sa main ?

Le médecin haussa les épaules.

— C'est une maladie relativement nouvelle et encore mal connue, dit-il. Le principal symptôme est une diminution graduelle de la température du corps. Certains spécialistes ont parlé d'une forme d'hypothermie spontanée ; ils se basaient sur le fait que l'organisme n'était pas attaqué par un microbe ni par un virus. Mais il se pourrait que la cause de la maladie ne soit pas d'ordre physiologique. J'ai vu un cas semblable l'an dernier à l'île aux Ruaux.

— Alors c'est psychologique ? demanda le patron.

— Peut-être. On ne sait pas exactement ce que c'est. On dirait que c'est le milieu ambiant qui envahit l'organisme.

— Est-ce que ça se guérit ?

Le médecin eut un sourire rassurant :

— Mais oui, si on trouve la cause.

— J'ai pas envie d'aller à l'hôpital, dit Teddy en remettant ses vêtements.

Le patron lui tapa gentiment sur l'épaule.

— Cassez-vous pas la tête, dit-il. Je connais quelqu'un. Vous allez recevoir sa fiche pas plus tard que demain ou après-demain.

34

LA LIBIDO DE L'HOMME ORDINAIRE

En plus de veiller au bien-être des insulaires, Tête Heureuse s'occupait activement de son propre bien-être. Assez souvent, le désir lui en venait le matin, de bonne heure, quand l'air était doux et pas encore humide.

Un matin, vers quatre heures, elle entra dans la chambre du professeur Mocassin, l'éveilla doucement et, dans la pénombre, lui fit comprendre le motif de sa visite.

— Chère Madame, dit le professeur, je me proposais d'investir ma libido dans mon travail, mais si vous insistez...

— Je ne veux pas vous déranger, dit-elle.

— À mon âge, la libido n'est plus ce qu'elle était, vous comprenez ?

— Oui, professeur.

— Alors je la réserve pour ce qui me tient le plus à cœur...

— Je comprends.

Mocassin se redressa. Il portait une chemise et un bonnet de nuit.

— Je ne suis pas votre dernier recours, au moins ?

demanda-t-il à Tête Heureuse qui était assise en *baby doll* sur le pied du lit.

— Vous êtes mon premier, dit-elle en lui adressant son plus beau sourire.

— Je suis très honoré.

Elle se leva pour prendre congé.

— Tâchez de vous rendormir et excusez-moi.

— Je vous en prie, chère Madame.

— Un jour, je verrai ce que je peux faire pour votre libido, promit-elle avant de partir.

— Au revoir et bonne chance ! dit le professeur en se recouchant.

Tête Heureuse poussa la porte de la chambre voisine.

L'Auteur respirait lourdement. Il était recroquevillé dans son lit et il serrait un oreiller contre son ventre. Il avait l'air de faire un mauvais rêve.

Quand elle lui toucha la main, il sursauta.

— Les Apaches ! cria-t-il.

— Mais non, c'est Tête Heureuse, dit-elle doucement et elle répéta son nom plusieurs fois pour le rassurer.

— Quelle heure est-il ?

— Quatre heures ou quatre heures et demie. Quelque chose comme ça.

Elle essaya de voir l'heure exacte à la montre qu'il avait au poignet.

— Touchez-moi pas ! cria-t-il.

Il était couvert de sueur. Il pointa son doigt vers un poster accroché sur le mur à la tête de son lit.

— Je pensais que les Indiens étaient arrivés, dit-il.

Le poster reproduisait une annonce jaunie qui se lisait comme suit :

> *WANTED*
>
> *YOUNG SKINNY WIRY FELLOWS not over eighteen. Must be riders willing to risk death daily. Orphans preferred. WAGES $ 25 per week. Apply, Central Overland Express, Alta Bldg., Montgomery St.*

Se calmant peu à peu, l'Auteur expliqua que l'affiche avait paru à San Francisco en 1860. Elle réclamait des candidats pour le Poney Express. Tête Heureuse n'avait jamais entendu parler du Poney Express.

— Dans ce temps-là, dit-il, il n'y avait pas de télégraphe. Les dépêches étaient transportées par des cavaliers qui galopaient comme des fous de l'Est à l'Ouest des États-Unis. Ils partaient de Saint-Joseph, au Missouri, et de rendaient à Sacramento, en Californie : une distance de trois mille cent quarante-cinq kilomètres !... Il y avait des relais. Quand un cavalier arrivait à un relais, il trouvait un employé qui tenait par la bride un nouveau cheval, alors il ne perdait pas une seconde : il jetait son sac de courrier – qui s'appelait la *mochila* – sur la nouvelle monture et il repartait au galop et le diable l'emportait dans la poussière du Far West. Pour faire ce travail-là, on engageait les jeunes gens qui étaient les meilleurs cavaliers et on leur donnait les chevaux les plus rapides de l'Ouest. Des fois, ils arrivaient à un relais pour changer de cheval et le relais avait été saccagé et brûlé par les...

Il se mit à hésiter.

— Dans mon rêve... reprit-il.

— Continuez, c'est très instructif, dit Tête Heureuse.

— Non.

Le Soleil n'était pas encore levé, mais il faisait jour : une lumière gris-bleu baignait la chambre de l'Auteur.

— J'ai le choix entre raconter ou écrire, dit-il d'une voix maussade.

— Et alors ? fit Tête Heureuse.

— Alors je suis venu dans l'île pour écrire.

Elle eut une intuition :

— Quand vous écrivez, vous avez besoin de votre libido ?

— Évidemment, dit-il sans hésiter une seconde.

Il l'examina froidement et lui demanda ce qu'elle voulait au juste.

— Rien, dit-elle.

Elle se leva et s'en alla sans ajouter un mot.

Elle entra silencieusement dans la chambre de l'Homme Ordinaire, qui était la « chambre des machines », et elle enleva son *baby doll* et s'allongea auprès de l'Homme.

35

L'ÉCHO

```
FICHE SIGNALÉTIQUE

Nom :
Âge :            30
Occupation :     animateur social
Taille :
Poids :
Cheveux :        roux
Yeux :           verts
Caractère :      sociable
Aptitude :       sensibiliser la population
```

L'Homme Ordinaire donna cette fiche à Tête Heureuse qui la remit à Mocassin, qui la confia à l'Auteur, qui la transmit à Marie, et Marie l'apporta à Teddy.

Le traducteur était sur le court de tennis. Il ne jouait pas, même s'il avait mis ses vêtements de tennis et apporté son sac avec ses deux raquettes. Il avait commencé par balayer les feuilles mortes qui traînaient sur le court, puis il s'était assis sur le banc de bois ; il surveillait attentivement le Prince qui, placé derrière la ligne de fond, lançait des balles en direction d'un joueur imaginaire.

— Bonjour, dit Marie en s'asseyant à côté du traducteur.

— Bonjour, dit Teddy.

Elle lui lut la fiche signalétique de l'Animateur.

— « Sensibiliser la population » ? répéta-t-il. Pourquoi ?

— J'en sais rien, mais j'étais certaine qu'une personne allait venir dans l'île cette semaine, parce que c'est les grandes marées de septembre. Tout le monde est arrivé dans l'île au moment des grandes marées.

— Excepté moi, dit-il sans cesser d'observer le Prince.

— Tu es un cas spécial, dit-elle en riant.

Teddy prit sa Maxply neuve dans son sac et il enleva la presse et l'étui ; en s'aidant de la main gauche, il plaça un à un ses doigts autour du manche de la raquette. Le Prince, noir mat et trapu, le canon dressé et bardé de métal chromé, projeta une série de balles rapides qui passèrent en sifflant au ras du filet.

— Une vraie mitrailleuse, dit Teddy. As-tu vu ça ?

— C'est très beau, dit Marie.

— Il est magnifique.

Le Prince amorça une série de coups où les balles rapides alternaient avec des amortis et des lobs. Teddy demanda :

— Veux-tu jouer avec lui ?

— Non, dit-elle. Et toi ?

Il secoua la tête. Elle comprit qu'il jouait mentalement et qu'il y mettait la même application que si le match eût été réel. Elle le quitta pour aller à la Maison du Sud parce que la chatte était à la veille d'avoir ses petits et qu'elle avait besoin d'affection. Teddy ne s'aperçut pas de son départ ; en tournant la tête pour lui parler, lorsque le match eut pris fin, il vit un homme qui l'observait à quelques pas derrière le banc.

— Bonjour, dit Teddy.

L'homme regarda sa montre, puis s'approcha. Il portait une tunique de lin et son visage était encadré d'une barbe rousse. Il avait un livre sous le bras.

— Je suis l'Animateur, dit-il en serrant la main gauche de Teddy.

— Très heureux. Excusez-moi, je ne vous avais pas vu.

— Je viens d'arriver.

— C'est curieux, j'ai pas entendu l'hélicoptère, remarqua Teddy.

— Vous n'avez pas entendu l'hélicoptère ?

— Non.

Le livre que l'homme tenait sous le bras avait une couverture rouge, mais Teddy ne pouvait pas voir le titre.

— On a atterri à l'autre bout de l'île, dit l'Animateur.

— Ah bon !

— Vous avez l'air inquiet...

— C'est vrai, dit Teddy. J'ai pas fini mon travail et je ne pensais pas que le patron viendrait si tôt. Il y a une phrase qui tourne dans ma tête. Pourtant je me suis levé de bonne heure...

— ...levé de bonne heure ?

— Oui, je voulais réviser mes textes. Et tout à coup, une des phrases que j'avais traduites hier soir m'a paru suspecte : il n'y avait pas d'erreurs de vocabulaire, mais le ton n'était pas juste. Dans les bandes dessinées, il faut obtenir un ton intermédiaire entre le langage parlé et le langage écrit, et on n'y arrive pas toujours du premier coup. Ce qu'il faudrait... Excusez-moi, je vous ennuie avec mes problèmes.

— Ce qu'il faudrait...? répéta l'Animateur.

— Il faudrait, entre la traduction et la révision, laisser les mots mûrir durant deux ou trois jours, mais ce n'est pas possible.

— Hum! fit l'Animateur. La phrase s'est mise à tourner dans votre tête, alors vous êtes venu sur le court de tennis.

— Je suis venu voir le Prince. Il a une qualité que je n'ai pas : il ne commet aucune faute. Ça me réchauffe le cœur de le voir jouer.

— Ça vous réchauffe le cœur?

Teddy réfléchit un instant, puis il dit :

— Puis-je vous poser une question?

— Une question?

— Chaque fois que je dis quelque chose, vous répétez les derniers mots... Pour quelle raison?

L'Animateur caressa pensivement sa barbe rousse.

— Déformation professionnelle, dit-il. Je ne m'en rends pas compte.

— Ça me donne l'impression d'entendre l'écho de ma voix, dit Teddy.

— Vous avez raison : c'est une mauvaise habitude. Merci beaucoup de m'avoir prévenu!

Il serra la main du traducteur.

— Sans vous, j'aurais fini par souffrir d'écholalie. C'est vraiment très chic de votre part!

— Je suis heureux de vous avoir rendu service, dit Teddy.

Puis il remarqua :

— Vous avez employé un mot que je ne connais pas. Vous avez dit « écholalie », c'est bien ça ?

— Oui, dit l'Animateur dont les yeux verts se mirent à briller.

— Un instant, dit Teddy.

Il prit le *Petit Robert* qu'il mettait toujours dans son sac de tennis ; il trouva rapidement le mot et lut à haute voix cette définition :

ÉCHOLALIE : Répétition automatique des paroles (ou chutes de phrases) de l'interlocuteur, observée dans certains états démentiels ou confusionnels.

— À mon tour de vous remercier, dit-il ensuite. Vous m'avez appris un mot nouveau. Merci mille fois !

— Tout le plaisir est pour moi, dit l'Animateur. Un service en attire un autre !

— Je suis peut-être indiscret, mais j'aimerais voir le livre que vous avez sous le bras, dit Teddy.

— Le livre que j'ai sous... Oh ! pardon, ma vieille habitude qui reprend le dessus... C'est un livre qui s'intitule *Les Quatre Premières Minutes*.

Il le tendit au traducteur. Il dit qu'il s'agissait d'une théorie suivant laquelle les rapports entre deux êtres humains étaient déterminés à tout jamais par les événements qui se passaient durant les quatre premières minutes de leur rencontre.

— Très intéressant, dit Teddy.

L'Animateur consulta sa montre.

— Les quatre minutes sont écoulées, déclara-t-il.

Avant de partir, il ajouta qu'une chose le réjouissait en particulier :

— C'est dans les quatre premières minutes qu'on s'est mutuellement rendu service, dit-il. On a de la chance.

36

LA DYNAMITE DE GROUPE

— Oyez ! Oyez ! fit l'Homme Ordinaire. Il y aura une séance de dynamite de...

— ...*dynamique*, corrigea l'Animateur.

— Excusez-moi... une séance de dynamique de groupe après le souper. C'est à dix-neuf heures trente, sur la grève en face de la Maison du Sud. Qu'on se le dise !

Après cette annonce, les conversations reprirent entre les insulaires réunis pour le repas du soir. Teddy dit à l'Homme Ordinaire que le patron avait quitté l'île sans lui avoir demandé si les traductions étaient prêtes. En fait, elles ne l'étaient pas, mais il s'inquiétait de ce que le patron n'était même pas venu le voir. L'Homme Ordinaire répondit que le patron était pressé : il avait apporté de la nourriture pour plusieurs semaines et il était parti en vacances dans le Sud.

— Mais on va parler des traductions durant la séance, ajouta-t-il en échangeant un regard d'intelligence avec l'Animateur.

— Est-ce que Candy peut venir ? demanda Tête Heureuse. Il s'ennuie quand je le laisse tout seul.

— Amenez-le si vous voulez, dit l'Animateur.

— Merci. Je vais apporter des couvertures de laine pour tout le monde, dit-elle. Les soirées sont fraîches au mois de septembre.

Le samedi, personne n'était spécialement affecté à la corvée de vaisselle. L'Homme Ordinaire s'en chargea, et, à la surprise générale, l'Auteur s'offrit à l'aider. Quand ils arrivèrent au lieu du rendez-vous, les autres étaient assis sur les couvertures de laine parce que le sable n'était pas sec. Le professeur Mocassin portait son veston et le chapeau mou qui le faisait ressembler à Tournesol. Marie et Teddy étaient vêtus comme d'habitude. Tête Heureuse avait mis son costume de soirée. À l'autre bout de la batture, le chihuahua poursuivait les goélands.

L'Animateur invita les insulaires à former un cercle en se tenant par la main et il s'assit au centre. Sa tunique de lin ondulait sous une brise légère qui venait du sud-ouest. Il annonça qu'il allait dire quelques mots d'introduction parce que c'était la première séance, précisant toutefois qu'il avait coutume de limiter le plus possible ses interventions.

D'une voix grave, il dit :

— On se trouve à travers les autres... Nul n'est une île... Vous êtes liés les uns aux autres... Vous avez tous une réserve d'énergie vitale... la bioénergie... et voici ce qui va se produire : un courant d'énergie va circuler de l'un à l'autre en passant par vos mains réunies et il va vous réchauffer, mais vous ne pouvez pas le sentir maintenant...

— Je sens quelque chose, déclara soudainement l'Auteur.

Il déplaça ses fesses vers la droite. Le professeur, qui était son voisin de gauche, pointa du doigt une légère protubérance qui déformait la couverture de laine servant de coussin à l'Auteur. Celui-ci souleva la couverture.

— *Eta-dan*, dit Mocassin.

— Ça veut dire « petite roche », dit Teddy.

— Je pensais que c'était le courant d'énergie vitale qui arrivait, affirma l'Auteur sans perdre son sérieux.

— Votre ironie est un réflexe de défense, dit posément l'Animateur. Elle sert à dissimuler les sentiments agressifs que vous éprouvez envers quelqu'un.

— Envers qui ?

— C'est à vous de nous le dire !... Faites un effort pour exprimer ce que vous ressentez et les autres vont vous aider au moyen de leur bio-énergie. Allez-y, n'ayez pas peur : l'agressivité est un sentiment naturel !

— *Fuck* ! j'ai pas besoin d'aide pour dire ce que je veux. C'est pas compliqué : je veux avoir la Maison du Sud.

— Excellent ! dit l'Animateur.

Il se leva et pria Teddy de bien vouloir changer de place avec lui. Le traducteur, abasourdi par la déclaration qu'il venait d'entendre, alla s'asseoir au milieu du cercle sans dire un mot. Voyant qu'il frissonnait, Tête Heureuse s'avança vers lui et, avec des gestes maternels, l'aida à s'envelopper dans sa couverture de laine.

— Pourquoi la Maison du Sud ? demanda Marie à l'Auteur.

— Je ne peux pas écrire en paix dans ma chambre, dit-il en jetant un regard oblique à Tête Heureuse. Il y a toujours quelqu'un qui me dérange. J'ai pas encore fini ma première page et j'ai peur...

— Vous avez peur... ? répéta l'Animateur.

176

— ...j'ai peur de ne pas pouvoir écrire le grand roman de l'Amérique.

— Et si je vous prêtais la cabane ? proposa Marie.

— Il n'y a pas de chauffage ni d'eau courante. C'est mal installé.

L'Homme Ordinaire protesta vivement :

— Comment ? Elle est mal installée, ma cabane ? Êtes-vous capable d'en construire une pareille ?

— Êtes-vous capable d'écrire le grand roman de l'Amérique ? riposta l'Auteur.

Ces éclats de voix furent suivis d'un silence qui se prolongea. L'Animateur dit que tout allait bien et que le courant d'énergie vitale était très fort. Puis il répéta :

— ...le grand roman de l'Amérique ?

— C'est une théorie personnelle, dit l'Auteur. Elle est un peu compliquée mais je vais la simplifier.

— Merci ! dit l'Homme Ordinaire.

— En deux mots, voici : le roman français s'intéresse plutôt aux idées, tandis que le roman américain s'intéresse davantage à l'action. Or, nous sommes des Français d'Amérique, ou des Américains d'origine française, si vous aimez mieux. Nous avons donc la possibilité, au Québec, d'écrire un roman qui sera le produit de la tendance française et de la tendance américaine. C'est ça que j'appelle le grand roman de l'Amérique.

— Et, bien sûr, dit Marie, c'est vous qui êtes chargé de cette délicate mission ?... Vous avez entendu des voix ou quelque chose comme ça ?

Après un moment d'hésitation, l'Auteur bougonna :

— J'ai marché sur la piste de l'Oregon.

Lui qui parlait peu, il étonna tous les insulaires en racontant comment les immigrants de la vieille Europe,

177

les Allemands, les Slaves, les Hollandais, les Français, les Italiens, les Juifs, que les bateaux à aubes débarquaient à Independance, sur les bords du Missouri, se procuraient des chariots, des bœufs, des chevaux, des armes et des provisions, formaient des caravanes guidées par un homme qui s'appelait Buffalo Bill, Kit Carson ou Jim Bridger et, au mois de mai, entreprenaient avec leur famille, leurs biens et leurs troupeaux un fantastique voyage de trois mille kilomètres le long d'une piste qui les exposait aux rigueurs du climat, à l'enlisement dans la boue et les dunes de sable, aux épidémies de choléra et aux attaques des hors-la-loi et des Indiens dont ils traversaient les territoires de chasse, construisant des radeaux pour passer les rivières en crue, des ponts de fortune pour franchir les ravins et des palans pour hisser les chariots sur les plateaux des montagnes Rocheuses afin d'atteindre, cinq mois plus tard, épuisés, les vallées fertiles de l'Oregon sur la rive du Pacifique, à l'autre bout du continent.

— La Terre promise, dit-il, paraissant épuisé lui-même par les fatigues du voyage.

Il se remit à bougonner et ses voisins immédiats comprirent qu'il avait reçu une sorte de choc en marchant dans les vieilles ornières creusées par les chariots ; cela s'était passé dans le Nebraska, quelque part entre Fort Laramie et une curieuse formation géologique appelée Chimney Rock.

Il se tut brusquement.

— Chimney Rock ? fit l'Animateur.

Il répéta ce nom plusieurs fois, mais en vain : l'Auteur s'était enfermé dans le mutisme le plus complet. Le soleil allait se coucher. Le ciel avait pris une couleur mauve qui semblait irréelle et Tête Heureuse observa qu'elle avait vu la même couleur dans la comédie musicale *South Pacific*. Le chihuahua fit irruption au milieu du cercle, renifla un instant les pieds de Teddy et regagna la batture à toute vitesse.

— Comment vous sentez-vous, tout le monde? demanda l'Animateur.

— Ça va très bien, dit Tête Heureuse. Quand je peux toucher la main de quelqu'un, je me sens toujours bien.

— Et vous? demanda-t-il au traducteur.

— Il fait un peu froid, dit Teddy.

— Vous n'avez pas beaucoup parlé...

— Je réfléchissais.

— Avez-vous pensé que si l'Auteur prend la Maison du Sud, il se trouve à libérer une chambre où je vais pouvoir m'installer?

— Non. Je me demandais comment j'allais faire pour travailler si...

— Ne vous en faites pas trop: vous ne serez peut-être plus obligé de travailler, dit l'Animateur.

— Comment ça? fit Marie.

L'Animateur adressa un signe de tête à l'Homme Ordinaire. Celui-ci parut contrarié:

— Faut que je le dise maintenant?

— Oui.

— Ça va pas être facile...

— Pas besoin de vous inquiéter pour Teddy: il est pratiquement invulnérable, dit l'Animateur. Il est protégé par un halo que vous ne pouvez pas voir. Le halo est formé par notre énergie vitale. Il a une belle couleur bleu nuit et il est très efficace. On pourrait le voir si on avait un appareil à l'infrarouge... Alors vous pouvez y aller sans crainte.

— Bon, dit l'Homme Ordinaire, c'est au sujet des traductions...

— Je sais, dit Teddy. Le patron ne viendra pas les chercher cette semaine et elles ne seront pas publiées. C'est ça ?

— Pas tout à fait... Elles ne sont *jamais* publiées.

Il ajouta, les yeux baissés :

— Elles n'ont pas été publiées depuis que vous êtes dans l'île. Le patron a acheté un cerveau électronique. Il coûte un prix fou, mais il traduit les bandes dessinées en deux minutes. Il s'appelle Atan.

Le professeur Mocassin tressaillit en entendant ce nom. Il ouvrit la bouche mais fut devancé par Marie.

— Le patron aurait pu avertir Teddy ! protesta-t-elle.

— Mon mari ne voulait pas qu'il soit malheureux, dit Tête Heureuse. Il a toujours été comme ça. Il ne supporte pas les gens malheureux.

— Un instant, dit Mocassin. Est-ce que le mot « *Atan* » ne signifie pas « homme » ?

Au milieu du cercle, le traducteur soufflait sur sa main droite. Il fit un signe de tête affirmatif.

— « Homme » au sens très particulier de « mâle » ? insista le professeur.

— Voulez-vous insinuer que Teddy n'est pas assez viril ? demanda Tête Heureuse.

— Là n'est pas la question n'est pas là, dit Mocassin.

— Excusez-moi, dit Teddy.

Il se leva tout à coup et sortit du cercle en serrant la couverture de laine autour de ses épaules. Il se dirigea vers la cabane de Marie.

— Je regrette beaucoup, lui dit l'Homme Ordinaire.

— Allez au diable avec vos regrets ! s'écria Marie.

L'Animateur fit une intervention.

— Vous êtes une marginale, dit-il à la fille. Votre réflexe de défense c'est le *retrait*. Vous vous retirez de la société, mais il y a une chose que vous ne pouvez pas empêcher : vous dégagez une grande énergie vitale et, en fin de compte, toute la société en profite. Les marginaux comme vous sont des gens très précieux. La séance est terminée.

37

UN HEUREUX ÉVÉNEMENT

Un heureux événement se produisit dans la cabane de Marie : la chatte mit au monde trois petits chats, deux noir et blanc et un tout noir.

38

LES QUESTIONS PERTINENTES

Marie n'était pas là. Elle était allée nager. L'eau était froide, mais elle nageait de plus en plus souvent et de plus en plus loin. Elle se rendait au milieu du chenal et passait des heures à lutter contre le courant.

Quand elle revint, ils parlèrent des chats ; ils évoquèrent le souvenir de tous les chats qu'ils avaient eus dans leur vie et, naturellement, Teddy était celui qui en avait eu le plus grand nombre et il ne comptait pas ceux qui avaient appartenu à son frère Théo. Ensuite, Marie posa une série de questions. Ce n'était pas dans ses habitudes.

Q. : Qu'est-ce que tu vas faire ?

R. : J'en sais rien.

Q. : Ton travail, c'était important pour toi ?

R. : C'est ce que je pensais... Maintenant, j'en suis moins sûr.

Q. : Pourquoi ?

R. : Je pense que je me doutais, sans vouloir me l'avouer, que les traductions n'étaient pas publiées.

Q. : Mais tu les faisais quand même ?

R. : Bien sûr.

Q. : Pourquoi ?

R. : J'en sais rien.

Q. : Alors, pour toi, qu'est-ce qui compte le plus ?

R. : C'est difficile à dire.

Q. : Dieu ?

R. : Non.

Q. : Les gens ?

R. : Non.

Q. : L'amour ?

R. : Je pense que non.

Q. : La nature ?

R. : Non.

Q. : Les livres ?

R. : Je pense que non.

Q. : Les chats ?

R. : Non.

Q. : Le tennis ?

R. : Non.

Q. : Le gruau Quaker ?

R. : Tu ris de moi...

Q. : Qu'est-ce qui reste ?

R. : Il y a une chose que j'aime bien. C'est quand, dans les yeux des gens, parfois, on voit passer quelque chose. Une sorte d'éclair qui brille, une sorte de chaleur. C'est une chose que j'aime beaucoup.

Marie était arrivée au bout de ses questions.

Teddy demanda :

— Tu trouves que c'est pas grand-chose ?

— J'ai pas dit ça, répondit-elle, puis elle sortit de la cabane et alla chercher le pot de lait qu'elle avait mis au frais sur la grève, dans une flaque d'eau. Elle versa un bol de lait à Moustache et, parce que les petits dormaient contre le ventre de leur mère, elle approcha le bol en le penchant de manière que la chatte ne fût pas obligée de se lever. Le vieux Matousalem, qui avait observé la scène, resta couché lui aussi pour laper son bol de lait.

— Le petit noir est une chatte, dit Marie.

— Ça me fait penser : tu as oublié le sexe dans ta série de questions, remarqua Teddy.

— C'était pas un oubli, dit-elle.

Elle ajouta :

— Excuse-moi pour les questions.

— De rien. Elles étaient... pertinentes. Tu cherchais à me faire comprendre quelque chose ?

Voyant qu'elle haussait les épaules, il dit, très doucement :

— Autrefois, quand tu avais quelque chose à dire, tu le disais directement.

— C'est vrai. Je trouve ça plus difficile maintenant.

— Alors raconte-moi une histoire...

— Oui, mais j'ai une faim épouvantable.

Ils mangèrent dans leur cabane au lieu de se joindre aux autres à la Maison du Nord. Ils firent chauffer une boîte de soupe minestrone et préparèrent une omelette au fromage sur le poêle Coleman. Une étiquette collée sur le dessus du poêle donnait l'avis suivant :

ATTENTION : Cet appareil consume de l'air. Si vous l'utilisez à l'intérieur, ayez une ouverture d'au moins 50 cm^2 pour laisser entrer l'air frais.

Ils ne furent pas obligés de tenir compte de cet avis, car une quantité d'air amplement suffisante filtrait par les fentes qu'il y avait autour de la porte et des fenêtres.

39

LE GRAND ONYCHOTEUTIS

— Il était une fois, dit Marie, une famille de baleines bleues qui naviguaient dans les mers du Sud en mangeant du plancton et en projetant vers le ciel des jets d'eau qui ressemblaient à des palmiers, lorsqu'elles aperçurent à l'horizon un jet d'eau plutôt bizarre...

— Pourquoi ? demanda Teddy puisqu'elle attendait visiblement qu'il posât cette question.

— Le jet d'eau ne montait pas à la verticale.

— Tiens, tiens... il ne montait pas à la verticale.

— Non, il montait de biais. Alors le père de la famille des baleines bleues comprit que ce qu'il voyait à l'horizon n'était pas une autre baleine bleue.

— C'était un bateau-pompe en train d'arroser un navire en flammes ?

— Pas du tout : c'était un cachalot ! D'ailleurs le jet d'eau avait une inclinaison de cinquante-cinq degrés, ce qui est la marque distinctive des cachalots.

— Tu as lu ça dans quel livre ?

— Dans *La Grande Aventure des baleines*. Et c'est là que j'ai appris l'histoire que je vais te raconter. C'est l'histoire d'un combat héroïque et légendaire qui se déroule dans les profondeurs de la mer entre le cachalot dont je viens de parler et un calmar géant qui s'appelle le grand Onychoteutis.

— Drôle de nom, remarqua Teddy.

— C'est un nom scientifique. Le grand Onychoteutis est un calmar qui mesure au moins douze mètres de longueur. Il a dix tentacules avec des ventouses grosses comme, disons... comme des assiettes à tarte. C'est un lutteur redoutable. Il s'est battu contre un grand nombre de requins. Il a beaucoup d'expérience.

— Le cachalot va avoir des problèmes.

— Il est capable de se défendre : il est long comme trois autobus.

— Comment s'appelle-t-il, le cachalot ?

— Il n'a pas de nom, dit-elle après une seconde d'hésitation. En tout cas, personne ne sait comment il s'appelle. C'est un cachalot solitaire. Il a navigué sur toutes les mers du monde et il commence à se faire vieux.

Teddy se mit à dérouler le sac de couchage sur la paillasse qui avait été confectionnée par l'Homme Ordinaire, puis il se déshabilla.

— Le cachalot se sent vieux et fatigué et il s'endort un peu, dit-il.

— Son corps est couvert de cicatrices et de mollusques. Il ressemble à une vieille coque de bateau, dit-elle.

— Alors il prend une grande respiration et il plonge sous l'eau pour se cacher au plus vite ! dit-il en se glissant vivement dans le sac de couchage.

Marie dit que le cachalot avait souvent besoin de plonger, car il n'était pas du tout un mangeur de plancton : il se nourrissait de proies vivantes. Sa gueule était armée d'une cinquantaine de dents. Interrompant cette description, Teddy demanda ce que le cachalot pouvait voir à mesure qu'il descendait vers les profondeurs.

Elle raconta :

— Au-dessus de sa tête, il voit un immense tapis lumineux qui s'éloigne peu à peu de lui. La lumière donne à l'eau des teintes vertes et bleues. Le vieux cachalot descend lentement. Il rencontre toutes sortes de poissons et des méduses et des algues qui se laissent aller à la dérive des courants. Il commence à faire plus froid et plus sombre. À trois cents mètres, l'eau devient bleu foncé. Le cachalot descend plus bas, doucement, comme un grand sous-marin, et la lumière tourne au violet, puis c'est le noir, l'obscurité glaciale. Il est à six cents mètres de profondeur et il descend toujours... De temps en temps, il voit des lumières qui s'allument brièvement dans la noirceur. Mais ce n'est pas la première fois que le cachalot s'aventure dans les grands fonds et il sait très bien qu'il y a des poissons qui peuvent émettre une sorte de rayon lumineux pour attirer leur proie, alors il ne s'en occupe pas du tout et il continue à descendre. Il est rendu à mille mètres, l'obscurité est totale quand tout à coup...

— Il aperçoit le grand Onychoteutis, dit Teddy.

— Il ne peut pas le voir à cause de la noirceur, dit Marie, mais il a capté des ondes sonores qui lui ont révélé sa présence. Et il sait, d'après les vibrations, que le calmar est en mouvement et qu'il se dirige vers lui. Le cachalot prend une décision : il va se tenir immobile, et lorsque le calmar sera tout près, il va se jeter sur lui avant que l'autre n'ait eu le temps de se préparer au combat. Mais subitement les ondes sonores diminuent, puis s'arrêtent, et il comprend que le grand Onychoteutis a deviné le danger et s'est immobilisé lui aussi dans le noir. Il fait très froid au fond de la mer. Le cachalot est inquiet, il a faim et la réserve d'air de ses poumons commence à s'épuiser. Il sait qu'il va être obligé de livrer le combat le plus dur de toute sa vie.

— Et il se sent vieux, dit Teddy.

— Tu l'as dit tantôt !

— Excuse-moi.

Avec la noirceur, le froid et l'humidité avaient envahi la cabane. Marie alluma la lampe à l'huile qui était leur unique source de lumière et de chaleur.

— J'ai pas souvent vu quelqu'un avec des yeux aussi noirs, dit Teddy.

Elle eut un sourire fugitif. Puis il vit que son visage se fermait et il comprit ce qui se passait.

— D'accord, dit-il, le vieux cachalot n'a pas un instant à perdre. C'est entendu. Il est obligé de prendre une décision rapide. Mais avant, il voudrait savoir une ou deux choses : premièrement, est-ce que le calmar ne lance pas un liquide sombre ou quelque chose comme ça ?

— C'est ce qu'il fait quand l'eau est claire. Mais dans l'obscurité des profondeurs, c'est le contraire : il lance un liquide très lumineux qui aveugle son adversaire.

— Encore une question : les tentacules, elles sont dangereuses à cause des ventouses ?

— Tentacule, c'est un mot masculin, dit-elle.

— Hein ? J'ai toujours pensé que c'était féminin... Veux-tu me passer le *Petit Robert*, s'il te plaît ?

— J'ai déjà vérifié. On dit *un* tentacule. Les tentacules ont des ventouses, comme j'ai dit tantôt, et les ventouses sont bordées de crochets en corne. Le calmar se sert de ses tentacules pour marcher à grandes enjambées dans le fond de la mer. Quand il se bat, il les place en avant et il esquive les coups comme un boxeur. Il attend l'occasion de fixer un tentacule sur la peau de son adversaire. Mais le but qu'il poursuit, c'est de placer le bout d'un tentacule dans l'évent du cachalot.

— *L'évent* ? Qu'est-ce que c'est ça ? demanda Teddy.

— Un canal qui va jusqu'aux poumons. Lorsque le cachalot a plongé vers le fond, son évent s'est fermé pour empêcher l'eau d'entrer. Et si jamais le calmar parvient à ouvrir le canal avec le bout d'un tentacule...

Teddy s'étrangla et se mit à tousser.

— Pas d'autre question, dit-il. Le vieux cachalot va réfléchir un instant.

Il rabattit un côté du sac de couchage pour inviter Marie à se joindre à lui, mais elle était accoudée à la fenêtre et regardait pensivement le fleuve. La chatte s'approcha, renifla le sac de couchage, et l'endroit sembla lui plaire car elle y transporta ses petits, un à un, en les tenant par la peau du cou dans sa gueule. Matousalem fit entendre un drôle de miaulement qui ressemblait à une plainte et il se glissa au fond du sac avec les autres.

— As-tu vu ça ? demanda Teddy.

Marie ne répondit pas.

Il dit :

— Il y a encore de la place pour toi.

Elle continuait de regarder dehors.

— Tu ne viens pas ?

— Pas maintenant.

— Écoute, dit-il, c'est mieux que je te le dise tout de suite : il n'y aura pas de bataille. Le vieux cachalot a décidé de remonter vers la lumière et l'air pur. C'est comme ça. Tout ce qu'il souhaite, c'est de revoir le tapis lumineux et le soleil sur les vagues. Alors il dit adieu et bonne chance au grand Onychoteutis. C'est tout.

Il dit encore :

— J'ai pas d'agressivité. Je ne sais pas pourquoi, mais c'est comme ça. Qu'est-ce que tu regardes ?

— Les lumières, dit-elle.

— Sur le fleuve ?

— Sur le fleuve et de l'autre côté.

Quittant la fenêtre, elle éteignit la lampe à l'huile par crainte du feu et rejoignit Teddy et les chats.

— Je regrette que l'histoire ait mal tourné, dit-il.

— Ça ne fait rien.

— Tu vas t'en aller ?

— Hein ? fit-elle.

— Tu vas quitter l'île ?

— Pourquoi ?

— Pour vivre une vie normale. Avec un homme normal.

— Ça n'a pas l'air d'exister. Ni l'un ni l'autre.

Elle prit sa main comme d'habitude pour la réchauffer, mais elle n'y arrivait plus.

40

ADIEU MARIE

Teddy voulait que cette nuit fût la plus longue de toutes celles qu'ils avaient passées ensemble à l'île Madame. Il fit un effort pour ne pas dormir. De toute manière, il ne travaillait pas le lendemain.

Marie s'endormit rapidement. Ensuite les chats cessèrent de ronronner. Il comprit qu'ils dormaient eux aussi. Il avait une douleur aiguë au bas du dos, qui venait de sa vieille entorse lombaire, et il se tourna sur le côté, doucement, pour ne pas éveiller les autres. Faute d'espace, il ne pouvait pas bouger comme il le voulait. Il n'avait pas froid mais il sentait de l'air frais sur sa tête, alors il s'enfonça plus profondément dans le sac de couchage en repliant ses jambes.

Au milieu de la nuit, la chatte se mit à gronder et Marie se réveilla. Ils entendirent un bruit de pas comme si quelqu'un rôdait autour de la cabane. Puis les pas s'éloignèrent.

— As-tu dormi ? demanda Marie.

— Non, dit-il.

— Moi, j'ai dormi un peu.

— Les chats aussi.

— Veux-tu que je te dise un texte que j'ai appris par cœur?

— Oui.

— Attends une minute.

Elle dit qu'elle pensait à un poème qu'elle avait reçu en cadeau. Mais c'était un cas spécial : elle ne pouvait se le rappeler qu'une seule fois.

— C'est un vieux poème que j'aime beaucoup, dit-elle. Tu vas être la première et la dernière personne à qui je vais le réciter.

— Pourquoi? demanda-t-il. Tu ne l'as pas appris avec ta méthode de lecture ralentie?

— Oui, mais je ne l'ai pas lu dans un livre. Quand je récite un texte que je n'ai pas lu dans un livre, il commence tout de suite à s'effacer de ma mémoire. Les livres, c'est très important pour ceux qui connaissent la méthode. Tu comprends?

— Dans ce cas, j'ai peur de l'oublier moi aussi parce que j'ai une très mauvaise mémoire. J'aimerais mieux que tu me l'écrives au lieu de le réciter. Veux-tu me l'écrire sur un papier demain matin?

— Oui, si tu aimes mieux.

Elle avait l'impression que c'était un poème africain, mais elle n'en était pas sûre. Et elle pensait que c'était peut-être une traduction parce que le premier vers de chaque couplet était un peu étrange : il ressemblait à de la prose.

— Si tu ne connais pas l'auteur, tu ne connais sûrement pas le traducteur, dit-il.

— Évidemment. Pourquoi dis-tu ça?

— Pour rien.

Elle ne tarda pas à se rendormir. Il se mit à pleuvoir et la pluie dura une partie de la nuit. Il était de plus en plus difficile de rester éveillé. Teddy céda au sommeil un peu avant l'aube. Quand il se réveilla, il faisait jour. Marie n'était plus là. Il savait qu'elle était partie pour toujours. Le poème qu'elle avait écrit sur un bout de papier se trouvait à côté du sac de couchage et il se lisait comme suit :

L'animal naît, passe, meurt.
Et c'est le grand froid,
le grand froid de la nuit, le noir.

L'oiseau passe, vole, meurt.
Et c'est le grand froid,
le grand froid de la nuit, le noir.

Le poisson fuit, passe, meurt.
Et c'est le grand froid,
le grand froid de la nuit, le noir.

L'homme naît, mange, dort.
Et c'est le grand froid,
le grand froid de la nuit, le noir.

Le ciel s'allume, les yeux s'éteignent,
brille l'étoile du matin.
En bas le froid, en haut la lumière.

L'homme a passé, le prisonnier est libre,
dissipée l'ombre...

41

LA DERNIÈRE SÉANCE

Une nouvelle séance de dynamique de groupe fut mise au programme des insulaires. Elle eut lieu sur le court de tennis et Teddy en fut le centre d'intérêt.

L'Animateur demanda aux participants de s'étendre sur le dos et de se placer de telle manière que la tête de chacun fût en contact avec celle des autres et que l'ensemble des corps allongés reproduisît la forme d'une étoile. La bio-énergie des insulaires, dans cette attitude, était susceptible de s'unir à celle du cosmos.

Les yeux fermés, Tête Heureuse déclara qu'elle se sentait toute petite ; elle était couchée dans le lit de ses parents, entre son père et sa mère, et la Terre entière était avec elle. L'Animateur invita les autres participants à exprimer, par des mots ou des gestes, ce qu'ils ressentaient. Chacun fit part de ses sentiments, à l'exception de Teddy.

— Cher ami, dit l'Animateur, pourquoi croyez-vous que nous tenons cette séance sur le court de tennis ?

Mocassin ouvrit la bouche mais l'Animateur, montrant tout à coup une attitude moins permissive qu'à l'accoutumée, lui commanda de se taire :

— Pas maintenant ! lui dit-il.

— Je pensais que c'était pour jouer au tennis, répondit Teddy. D'ailleurs, on m'a dit d'apporter mes deux raquettes et le sac de vieilles balles.

— C'est seulement des moyens idiots-visuels, expliqua l'Homme Ordinaire. Je ne vous l'avais pas dit ?

— Non.

— En fait, dit l'Animateur, j'ai choisi le court de tennis pour que vous vous sentiez chez vous. Je me suis dit : en terrain connu, il aura moins de mal à exprimer ce qu'il ressent.

— Peut-être qu'il ne ressent rien, dit l'Auteur.

Les insulaires, un à un, s'étaient redressés. Ils étaient assis au milieu du court de tennis.

— Qu'est-ce qu'on fait maintenant ? demanda Tête Heureuse.

— C'est pas à moi de décider, dit l'Animateur.

— Et si on faisait un exercice de *touching* ? Vous savez, l'exercice que vous m'avez montré l'autre soir quand je ne pouvais par dormir et que vous...

— Ça va ! dit-il sèchement, et il expliqua en quoi l'exercice consistait et quels étaient les avantages que Teddy, notamment, pouvait en retirer. Il s'agissait de se prendre dans les bras les uns des autres et de se prodiguer des marques d'intérêt en touchant à diverses parties du corps, d'où l'origine du nom que l'on donnait à l'exercice. Tête Heureuse fut une partenaire très en demande, et, à la fin, elle invita le traducteur à s'agenouiller avec elle sur la terre battue ; écartant ses plumes d'autruche, elle détacha les boutons inférieurs de son chemisier et lui fit mettre la main droite sur son ventre, puis elle passa les bras autour de son cou.

196

— Je vous aime. Tout le monde vous aime, dit-elle avec sa voix de petite fille.

— Merci, dit Teddy.

— Comment vous sentez-vous?

— Très bien.

L'Animateur intervint:

— Elle veut dire: qu'est-ce que vous ressentez? précisa-t-il. Il faut que vous arriviez à exprimer vos sentiments. Ne vous inquiétez pas, nous allons vous aider. Tout le monde va vous aider... Est-ce que quelqu'un a une idée?

Les autres avaient terminé leurs attouchements et s'étaient approchés. L'Homme Ordinaire dit qu'il avait une idée.

— Si on lui parlait de Marie? proposa-t-il.

— On peut essayer ça, dit l'Animateur. Qui a vu Marie pour la dernière fois?

— Moi, dit l'Auteur. J'étais à la Maison du Sud. Je me lève toujours de bonne heure pour travailler à mon roman. J'ai entendu un bruit de pas sur la grève, dans la crique de sable. J'ai l'oreille très fine. Je pensais que c'était un braconnier, mais, en regardant par la fenêtre, j'ai vu Marie qui s'en venait. Elle était en maillot de bain. La marée était haute. Elle est entrée dans l'eau en s'aspergeant et elle s'est mise à nager en ligne droite, puis elle a obliqué vers le sud un peu avant d'arriver au chenal.

— Est-ce qu'elle a réussi à traverser le chenal? demanda Teddy.

— Je l'ai perdue de vue: le temps était pluvieux et il y avait du brouillard sur le fleuve. Mais elle nageait très bien.

— Elle avait nagé tout l'été. Elle était en pleine forme, dit Tête Heureuse.

— Sa mère était une nageuse de longue distance, dit l'Homme Ordinaire.

— Vous avez connu sa mère ? s'informa le professeur Mocassin.

— Ça suffit ! coupa l'Animateur. Ne nous égarons pas. Maintenant, dit-il à Teddy, faites-nous part de vos sentiments.

— Mes sentiments ne regardent personne, dit le traducteur.

— Voulez-vous dire ça un peu plus fort, s'il vous plaît ?

Teddy le regarda sans comprendre.

— J'ai cru sentir une pointe d'agressivité dans ce que vous venez de dire, expliqua l'Animateur sur un ton encourageant. C'est un bon signe, alors pourriez-vous répéter ce que vous avez dit ?

— ...

— Vous êtes triste ?

— ...

— ...triste et un peu fâché contre nous ?

— ...

— Dites quelque chose ! supplia Tête Heureuse en resserrant l'étreinte de ses bras autour du cou de Teddy.

— Il est sourd, dit l'Auteur.

— Là n'est pas la question n'est pas là, dit Mocassin.

— J'ai encore une idée, dit l'Homme Ordinaire. Ce ne serait pas le moment d'utiliser les moyens idiots-visuels ?

L'Animateur déclara que c'était le moment ou jamais.

— Mais on dit « audio-visuels », corrigea-t-il, légèrement agacé.

Fouillant dans le sac de tennis que Teddy avait apporté, il donna une raquette à l'Auteur et l'autre à l'Homme Ordinaire. Dans sa forme traditionnelle, expliqua-t-il, l'exercice consistait à taper sur des coussins ou des oreillers, mais, à défaut de tels objets, il ne voyait pas ce qui pouvait empêcher les insulaires d'arriver aux mêmes fins en tapant sur des balles de tennis ; bien au contraire, cette innovation avait l'avantage d'offrir à Teddy l'exemple d'un défoulement obtenu au moyen de gestes qui lui étaient familiers.

L'Animateur eut recours au Prince pour lancer les balles, mais il constata rapidement que l'Auteur et l'Homme Ordinaire frappaient le plus souvent dans le vide et il décida de confier cette tâche à Tête Heureuse. Il surveilla la physionomie de Teddy pendant que les deux hommes expédiaient les balles par-dessus la clôture et dans toutes les directions.

— On voit que vous éprouvez quelque chose, dit-il au traducteur.

— C'est vrai, reconnut Teddy.

— Qu'est-ce que c'est ? De la colère ?

— Non.

— De l'irritation ? De l'étonnement ?

— Peut-être de l'étonnement, dit Teddy.

L'Animateur poussa un soupir de soulagement et il fit signe aux participants de s'arrêter.

— Expliquez-vous, dit-il sur un ton presque joyeux

— Ce qui m'étonne, dit Teddy, c'est le manque de technique dans les coups. N'importe quel joueur de tennis serait capable de frapper des balles à une distance beaucoup plus grande en ne déployant que très peu d'énergie. C'est une simple question de coordination dans les mouvements.

Le visage de l'Animateur se rembrunit.

— Je commence à penser qu'on fait tout ça pour rien, dit-il aux autres.

— Il reste encore l'affaire de Mocassin, dit l'Homme Ordinaire pour le réconforter.

— Nos chances sont minces... De toute façon, ça ne coûte rien d'essayer.

Il donna la parole au professeur. Celui-ci fit un bilan détaillé des travaux de recherche qu'il avait menés sur les soixante-quinze courbes du sentier de l'île. Ses travaux avaient abouti à une impasse. Pour les compléter, il se voyait dans l'obligation de creuser le court de tennis afin de mettre au jour les vestiges d'un tronçon de sentier qui, selon lui, ne pouvait manquer de se trouver sous la surface de terre battue. La seule autre possibilité qui s'offrait à lui était d'extrapoler à partir des chiffres accumulés jusque-là, mais il ne voulait pas s'y résoudre, la marge d'erreur de cette méthode étant trop grande.

— Qu'en dites-vous ? demanda l'Animateur d'une voix blanche.

— Je ne peux plus jouer à cause de mon bras, dit Teddy.

— Je le sais, mais vous veniez quand même voir le Prince... Vous n'en avez plus envie ?

— Pas tellement.

— C'est un cas désespéré, dit l'Animateur en mettant fin à ce qui devait être la dernière séance.

42

LE PÈRE GÉLISOL

La migration des oiseaux était commencée depuis quelques semaines et il y avait des canards sur les battures de l'île.

Comme il avait entendu des coups de feu, Teddy jugea opportun d'aller chercher son fusil, qui était resté à la Maison du Nord, et de reprendre la tâche de gardien que le patron lui avait confiée à son arrivée dans l'île. Lorsqu'il se présenta à la Maison du Nord, un après-midi, il trouva la porte fermée à clef. Des éclats de voix lui parvenaient de la cuisine. Il frappa, sans obtenir de réponse, puis il insista et les voix se turent. Au bout de plusieurs minutes, la porte fut entrebâillée par l'Homme Ordinaire qui lui demanda s'il était là depuis longtemps et, s'étant informé du motif de sa visite, lui dit qu'il allait se charger lui-même du travail de gardien parce qu'il s'y connaissait très bien en armes à feu.

À partir de ce moment, Teddy ne retourna plus à la Maison du Nord. Il demeura à la cabane de Marie ou aux alentours. Il faisait des exercices pour retarder l'engourdissement de son bras et pour soulager ses malaises dorsaux, quelque peu aggravés par le manque de confort. Plusieurs fois par semaine, il trouvait de la nourriture et un bidon d'eau sur le pas de sa porte. Il avait encore le réflexe de lire les traductions sur les étiquettes des boîtes de conserve ; il lui arrivait de rédiger des textes susceptibles de remplacer ceux qui lui paraissaient incorrects.

Le patron revint de vacances aux grandes marées d'octobre. Teddy se proposait d'avoir un entretien avec lui sur différents sujets comme, par exemple, son travail de traducteur, l'avenir en général et l'attitude indifférente, parfois même hostile des insulaires à son égard. Toutefois, le patron ne lui en donna pas l'occasion car il n'était venu dans l'île que pour y amener, en même temps que de nouvelles provisions, un homme dont la renommée était grande à cause des pouvoirs thérapeutiques d'une nature très spéciale qu'il possédait.

L'homme s'appelait le père Gélisol. Il fut installé dans la cabane de Marie, où l'on apporta la grande chaise berceuse qui se trouvait à la Maison du Sud. Au contraire de l'Animateur, qui s'intéressait au groupe, le père Gélisol s'occupait de l'individu.

C'était un étrange personnage. Petit mais robuste, il avait le teint jaune et des yeux qui brillaient de malice derrière une fente mince et allongée. Il souriait tout le temps. Il ne parlait jamais. Quoiqu'il fût un vieillard, il n'avait pas les cheveux blancs ; il les avait noirs, raides et huileux, rasés au-dessus des oreilles et parsemés de touffes blanches qui, de loin, faisaient penser à de la neige.

Son nom tenait à une légende que Teddy, pour sa part, jugeait absolument incroyable : il émanait de cet homme, disait-on, une chaleur si intense que, dans l'Arctique d'où il venait, elle faisait fondre le sol gelé en permanence sur lequel il s'asseyait. On s'était vite aperçu que cette chaleur avait des vertus curatives et la réputation du père Gélisol avait rapidement dépassé le cercle polaire.

La technique du père Gélisol était assez rudimentaire. Il s'installait dans la grande berceuse et le patient n'avait qu'à prendre place sur ses genoux. Il le berçait durant une heure dans ses bras en lui chantant une mélopée d'une voix lente et gutturale dans laquelle passaient des effluves de poisson cru. Teddy n'était pas le seul à se prévaloir de ses services. Tête Heureuse visitait la cabane toutes les fois qu'elle avait la nostalgie de son enfance; l'Auteur y venait lorsqu'il se sentait incapable d'achever sa première page; le professeur Mocassin se faisait bercer lui aussi quand il était las de ses travaux d'excavation.

Dérangé par les visiteurs, Teddy se réfugia sur la grève. Il prit l'habitude de s'installer dans une anfractuosité de rocher, du côté sud de l'île, où il était au soleil et à l'abri du vent frais. Pour avoir plus chaud, il mettait son survêtement de tennis et s'enveloppait dans le sac de couchage. Il lisait, le plus lentement possible, les livres de Marie. Le vieux Matousalem venait parfois lui tenir compagnie.

43

ADIEU L'ÎLE MADAME

Il y eut une vague de chaleur inattendue : c'était l'été des Indiens. Teddy passait les jours et les nuits sur la grève. Le traitement du père Gélisol n'avait donné aucun résultat.

Un matin, en s'éveillant de bonne heure, il vit que tous les insulaires étaient là. l'Homme Ordinaire était assis sur une roche à côté de lui ; il avait enlevé sa chemise hawaïenne et se faisait chauffer le dos au soleil. Les autres étaient rassemblés un peu plus loin sur la batture.

La marée descendait.

Le traducteur quitta lentement le sac de couchage. Il avait dormi tout habillé. l'Homme Ordinaire lui parla sans le regarder.

— On a reçu un message, dit-il.

— Ah oui ? dit Teddy.

— Le patron est retourné dans le Sud.

— Qu'est-ce que ça veut dire ?

— Rien...

L'Homme Ordinaire jeta un coup d'œil aux autres et ils s'approchèrent.

— Rien, mais on a réfléchi tous ensemble, dit-il. Avez-vous vu passer les oies blanches ?

— Non, dit Teddy.

— Il en est passé deux vols au-dessus de la Maison du Nord, affirma l'Animateur.

— La neige s'en vient et on est loin d'être prêts. C'est à ça qu'on a réfléchi, dit l'Homme Ordinaire. Il y a beaucoup de travail qui nous attend... Vous rappelez-vous qu'on avait fait une répartition des tâches au milieu de l'été ?

— Je m'en souviens, dit Teddy.

— Eh bien, on en a fait une autre, mais cette fois...

— Mais cette fois..., reprit en écho l'Animateur.

— ...cette fois, la répartition ne prévoit pas... Je ne me souviens pas des mots, dit l'Homme Ordinaire.

— Moi non plus, dit Tête Heureuse.

Le professeur Mocassin leva un doigt :

— Permettez ?... « La répartition ne prévoit rien pour ceux qui sont affligés d'une incapacité physique temporaire ou permanente », récita-t-il.

Teddy mit son livre de lecture au fond du sac de couchage, comme Marie avait coutume de faire, puis il enroula le sac et attacha les cordons en faisant une boucle.

— Ça veut dire qu'il n'y a plus de place pour moi ? demanda-t-il en ne s'adressant à personne en particulier.

Personne ne répondit. Ils avaient tous l'air désolé.

— On vous aime bien quand même, dit Tête Heureuse.

— C'est pas le moment de s'attendrir, dit l'Homme Ordinaire. On ne vous en veut pas, mais on est fatigués de s'occuper de vous. En fait, vous nous cassez les pieds. C'est aussi simple que ça.

— On a tout essayé, dit l'Animateur.

— Les temps s'annoncent plus difficiles, dit l'Auteur. Et comme vous n'êtes plus capable de travailler...

— Il y a d'autres îles, conclut l'Homme Ordinaire.

Tout en parlant, ils s'étaient placés entre le traducteur et la lisière du bois et ils avançaient vers lui. Teddy recula de quelques pas.

— C'est vrai, dit l'Animateur. D'après les cartes que j'ai vues dans la « chambre des machines », il y a plusieurs îles aux alentours et l'eau n'est pas très profonde.

— Je l'ai dit et je le répète : c'est un pays merveilleux où tout est à faire ! déclara Mocassin.

— Est-ce que je peux vous poser une question ? demanda Teddy en s'adressant à l'Animateur. L'autre jour, vous avez dit que les marginaux étaient des gens utiles... Vous avez changé d'avis ?

— Pas du tout. Mais j'ai l'impression que vous n'êtes pas un vrai marginal.

— Pourquoi ?

L'Homme Ordinaire s'interposa.

— Il veut dire que vous êtes même en dehors de la marge, dit-il en regardant sa montre. Pas d'autres questions ? Non ? Alors j'en ai une à vous poser : est-ce que votre bras malade vous empêche de nager ?

Le sens de la question était d'autant plus clair que l'Homme Ordinaire et les autres, en continuant d'avancer, avaient amené le traducteur tout près du bord de l'eau. Il faisait plus frais parce que le soleil s'était caché.

— Est-ce qu'il nage le crawl ou la brasse ? demanda le professeur Mocassin.

— Ni l'un ni l'autre, dit l'Homme Ordinaire. C'est une drôle de nage. Quand j'étais petit, on appelait ça « le chien ».

Tête Heureuse aida le traducteur à retirer son survêtement et ses souliers, et elle prit ses lunettes. Retroussant sa jupe, elle entra dans l'eau avec lui pour l'encourager. L'eau n'était pas trop froide, mais le fond était vaseux et il fallait prendre garde aux roches glissantes ou pointues.

— La marée descend encore, dit l'Auteur. Vous n'aurez qu'à vous laisser emporter par le courant.

— Quand vous serez fatigué, dit l'Animateur, faites la planche : ça va vous reposer.

— Je vais m'occuper du vieux Matousalem, dit Tête Heureuse en s'arrêtant parce qu'elle avait de l'eau jusqu'à mi-cuisses.

L'eau devenait plus froide et Teddy se mit à nager pour se réchauffer, mais il s'essouffla rapidement. Il reprit pied. L'eau lui arrivait à la ceinture. Il s'éloigna debout jusqu'au moment où il eut de l'eau aux épaules, puis il sentit que le courant l'emportait et il se laissa faire. Quand il perdit pied, il se mit sur le dos et il vit indistinctement que les autres étaient encore sur la rive, à la pointe sud de l'île.

En gardant bien la tête dans l'eau, comme Marie lui avait enseigné, il constata qu'il n'avait aucun mal à flotter. Il fut content de voir le soleil se dégager des nuages parce qu'il avait très froid et que son bras était tout engourdi. Le courant de la marée l'entraînait vers le nord. Il vit passer, juste au-dessus de lui, un vol d'oies blanches ou de bernaches qui se dirigeaient au sud en formation triangulaire. Le courant se fit plus rapide et il y eut du vent et de la vague.

Il ne pouvait plus voir l'île Madame.

Soudain, en tournant la tête vers le large, il aperçut une bouée qui lui sembla filer à toute allure, puis il comprit qu'il s'agissait d'une des bouées du chenal, qui étaient fixes, et il fut effrayé de sa propre vitesse. Il voulut se remettre à nager pour s'éloigner du chenal, mais son bras et son épaule étaient complètement paralysés. Il resta sur le dos et limita ses mouvements à des ciseaux de jambes. Il était aveuglé par les vagues qui lui cinglaient le visage. Le froid gagnait le reste de son corps. Peu à peu, ses mouvements ralentirent. Sa tête heurta quelque chose.

Il se redressa pour cracher l'eau qui lui obstruait la gorge et, à ce moment, ses pieds touchèrent le fond. Il apercevait une grève et des arbres. La marée était au plus bas. Il marcha vers le rivage en titubant et en s'écorchant les pieds sur les roches. Il grelottait et claquait des dents. Ses deux bras étaient inertes. Lorsqu'il atteignit la grève, il s'allongea dans le sable et ferma les yeux.

Plus tard, il essaya de se remettre sur pied mais il ne parvint qu'à s'asseoir ; en examinant les alentours, il reconnut la batture de l'île aux Ruaux. Un vent froid s'était levé qui le glaçait jusqu'aux os. Il se traîna sur les mains et sur les genoux pour aller se mettre sous le couvert des arbres. Il escalada péniblement une muraille de rochers, et, plus loin, s'étant assis de nouveau pour évaluer la distance qui restait, il aperçut un homme dont la silhouette ne lui était pas inconnue.

L'homme, qui se tenait à l'orée du bois, était vieux et très maigre. Il portait un fusil sur la hanche. Il avait des lunettes. Il ne faisait aucun mouvement.

Le traducteur réussit à s'approcher du vieil homme. Quand il fut tout près, il se mit debout et lui toucha doucement le visage. Le vieux n'était pas vivant : il avait la peau dure comme la pierre.

FIN

DU MÊME AUTEUR

Mon cheval pour un royaume, Éditions du jour, 1967 ; Leméac, 1987.

Jimmy, Éditions du Jour, 1969 ; Leméac, 1978 ; Babel, 1999.

Le cœur de la baleine bleue, Éditions du Jour, 1970 ; Bibliothèque québécoise, 1987.

Faites de beaux rêves, L'Actuelle, 1974 ; Bibliothèque québécoise, 1988.

Les grandes marées, Leméac, 1978 ; Babel, 1995.

Volkswagen blues, Québec-Amérique, 1984 ; Babel, 1998.

Le vieux Chagrin, Leméac / Actes Sud, 1989 ; Babel, 1995.

La tournée d'automne, Leméac, 1993 ; Babel, 1996.

Chat sauvage, Leméac / Actes Sud, 1998 ; Babel, 2000.

Les yeux bleus de Mistassini, Leméac / Actes Sud, 2002 ; Babel, 2011.

La traduction est une histoire d'amour, Leméac / Actes Sud, 2006.

L'anglais n'est pas une langue magique, Leméac / Actes Sud, 2009.

L'homme de la Saskatchewan, Leméac / Actes Sud, 2011.

TABLE DES MATIÈRES

BABEL

Extrait du catalogue

COÉDITION ACTES SUD – LEMÉAC

ACHEVÉ D'IMPRIMER
EN FÉVRIER 2017
SUR LES PRESSES DE
MARQUIS IMPRIMEUR INC.
POUR LE COMPTE DE
LEMÉAC ÉDITEUR, MONTRÉAL

DÉPÔT LÉGAL
1re ÉDITION : DÉCEMBRE 1995
(ÉD. 01 / IMP. 15)
Imprimé au Canada